Son casque d'or et d'argent est surmonté
d'une crête de plumes couleur de feu.
Son glaive est couvert
d'un si grand nombre de pierreries
qu'à peine on voit l'or
dans lequel elles sont enchâssées.
Empereur romain pour l'occasion,
le Roi-Soleil monte un cheval
empanaché de plumes
et harnaché d'aigles d'or,
un cheval
qu'on nomme Bucéphale,
comme celui d'Alexandre le Grand...

Monsieur, frère du roi,
conduisant le quadrille des Persans,
le prince de Condé, celui des Turcs,
le duc d'Enghien, celui des Indiens
et le duc de Guise, celui des Américains,
rendent les honneurs au pouvoir romain

et reconnaissent ainsi
leur légitime asservissement.
Les Grands du royaume sont tous là
pour célébrer leur propre déclin
que Louis met en scène,
à l'aurore de son règne.

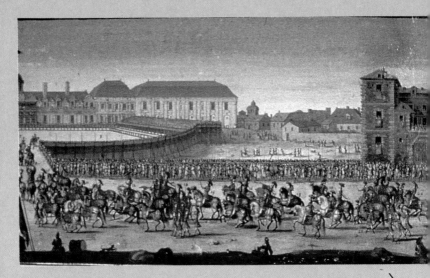

«Ce fut là, dit plus tard le roi à son fils,
que je commençai à prendre l'image du soleil
que j'ai toujours gardée depuis,
et que vous voyez en tant de lieux.
Je crus que, sans s'arrêter
à quelque chose de particulier
et de moindre, elle devait
représenter en quelque sorte
les devoirs d'un prince,
et m'exciter éternellement
moi-même à les remplir.
On choisit pour corps
le soleil qui, dans les
règles de cet art,
est le plus noble
de tous, et qui,
par la qualité

d'unique, par l'éclat qui l'environne, par la lumière qu'il communique aux autres astres qui lui composent comme une espèce de cour, par le partage égal et juste qu'il fait de cette même lumière à tous les divers climats du monde, par le bien qu'il fait en tous lieux, produisant sans cesse de tous côtés la vie, la joie et l'action, par son mouvement sans relâche, où il paraît néanmoins toujours tranquille, par cette course constante et invariable, dont il ne s'écarte et ne se détourne jamais, est assurément la plus vive et la plus belle image d'un grand monarque.»

Christian Biet est né à Paris en 1952. Il a participé à l'élaboration, à la rédaction et à la direction d'anthologies littéraires (Editions Magnard) et de biographies dans cette même collection (Découvertes Gallimard), en collaboration avec J.-P. Brighelli et J.-L. Rispail. Il publie, en outre, cette année, à l'Imprimerie nationale, une anthologie de textes littéraires, philosophiques et juridiques sur les Droits de l'homme. Maître de conférences à l'Ecole normale supérieure de Fontenay-Saint-Cloud, il délivre son enseignement et poursuit ses recherches plus particulièrement sur la mythologie, les arts plastiques et le théâtre du XVIIᵉ siècle.

Dépôt légal : mai 1989
Numéro d'édition :
46125
ISBN : 2-07-053056-6
Imprimerie
Kapp-Lahure-Jombart
Évreux

LES MIROIRS DU SOLEIL
LITTÉRATURES ET CLASSICISME
AU SIÈCLE DE LOUIS XIV

Christian Biet

DÉCOUVERTES GALLIMARD
LITTÉRATURE

10 mars 1661. Le jeune roi convoque, dans la Chambre de la Reine Mère, où les conseils se tiennent habituellement, les princes, les archiducs et les ministres d'État. Dans un silence respectueux, on entend alors le monarque de vingt-trois ans annoncer sa résolution de commander lui-même son État. Stupeur et chuchotements. Le règne des ministres s'évanouit-il brutalement ? Est-ce un caprice de jeune homme ? Le caprice durera cinquante-quatre ans...

CHAPITRE PREMIER

LES CONDITIONS DE LA PRISE DU POUVOIR

❝ Le croira-t-on ? Il était né bon et juste, et Dieu lui en avait assez donné pour être un bon roi, et peut-être même un assez grand roi... ❞
Saint-Simon,
Mémoires

La fin des années Fouquet (1654-1661) : une clientèle d'auteurs doit se reconvertir

Après vingt-quatre années de guerre avec l'Espagne, le traité des Pyrénées (7 novembre 1659) a mis fin aux souffrances du pays. Mazarin, en rendant à Louis XIV le service de mourir en pleine paix (le 9 mars 1661), permet au peuple d'espérer en une longue période de stabilité. La France est vaste, peuplée, forte et bien protégée, mais au bord de la banqueroute : il faut toute l'habileté du surintendant Fouquet pour chercher dans les expédients les plus divers l'argent nécessaire à la survie de l'État. Face à l'incroyable fortune du Cardinal expirant, la France est en haillons : la fabuleuse richesse d'un seul, affirment certains, ne serait pas étrangère aux difficultés de tout un peuple...

F ace au Louvre, on travaille, on commerce, on s'agite, mais dans ce pays en crise économique constante, la famine et les épidémies règnent encore...

«Il y a des misères sur la terre qui saisissent le cœur. Il manque à quelques-uns jusqu'aux aliments ; ils redoutent l'hiver ; ils appréhendent de vivre. L'on mange ailleurs des fruits précoces ; l'on force la terre et les saisons pour fournir à sa délicatesse : de simples bourgeois, seulement à cause qu'ils étaient riches, ont eu l'audace d'avaler en un seul morceau la nourriture de cent familles...»

La Bruyère,
les Caractères

Cependant, l'Artois, l'Alsace et le Roussillon sont rattachés à la Couronne, et les autres puissances européennes ont admis de gré ou de force sa prépondérance : «La paix, comme le dit Louis XIV dans ses mémoires, était établie avec mes voisins, vraisemblablement pour aussi longtemps que je le voudrais moi-même.»

Le roi est jeune, infatigable travailleur, on le sait déjà autoritaire, quelque peu folâtre, bien fait de sa personne, et quelques-unes de ses déclarations habiles, soutenues par les célébrations éloquentes d'écrivains triés sur le volet, soutiennent l'espoir que les Français mettent en lui.

Plus d'autre cour que la Cour

Louis conserve un temps trois ministres de Mazarin : le surintendant des Finances, Fouquet, alias «l'Écureuil», le secrétaire d'État de la Guerre, Le Tellier, dit «le Lézard», et le diplomate Hugues de Lionne. Mais très vite, il se méfie des financiers et des hommes trop puissants, et Fouquet est l'un et l'autre. Les fêtes somptueuses qu'il donne en son superbe château de Vaux-le-Vicomte, le salon brillant de sa femme, son influence de mécène des lettres et des arts n'arrangent rien. Attaqué par les intrigants du parti de Colbert, les ennemis de longue date et les anciens frondeurs, il est arrêté, jugé, implacablement emprisonné pour avoir déplu au roi et au tout nouveau ministre, son ambitieux remplaçant, Colbert.

Fidèle intendant et zélé complice de Mazarin, Jean-Baptiste Colbert, «la Couleuvre», comme on le nomme d'après ses armoiries rémoises et l'étymologie de son nom, veut profiter de la reprise

Décidé à ranimer la confiance des spéculateurs, jouant sur l'abondance de l'argent, Fouquet (à droite) dénonce la guerre qui perturbe le circuit des métaux précieux, la thésaurisation qui accroît les difficultés fiscales et la méfiance envers l'État comme facteurs de désordres. Colbert, lui (à gauche), adoptera une politique à plus courte vue.

en main du royaume par Louis XIV pour instaurer un nouvel ordre dans l'administration, faire oublier un passé gênant qui le lie au Cardinal, enfin installer son empire financier — sur la ruine des autres.

Se démettre ou se soumettre

Les écrivains et les artistes n'ont plus d'autre choix que de se soumettre, tant la répression frappe tous les tenants de l'Écureuil tombé. Les désastres financiers des traitants ou leur disgrâce, quand il n'est pas question d'arrestation ou d'exécution, frappent Saint-Évremond, qui doit s'enfuir, La Rochefoucauld, dont le nom est évoqué au procès du surintendant, Pélisson, qu'on voit un moment en prison, La Fontaine, tout dévoué à son ancien maître. Avec le futur auteur des *Contes*, Le Brun, Le Vau, Le Nôtre, doivent changer de protecteur :

c'est la fin du cénacle que le surintendant avait patiemment constitué depuis 1653.

Mme de Sévigné, Mlle de Scudéry, La Fontaine, Ménage n'y pourront rien : Fouquet reste emprisonné à Pignerol, tout près du Piémont, dans une petite geôle, et les interventions du vieux Ménage ne servent qu'à le faire rayer de la liste des pensions. Et Fouquet mourra là-bas, en mars 1680...

Peu à peu, les mécènes privés s'affaiblissent sans pour autant disparaître. Seule la cour de Condé, à Chantilly, soutient maintenant la comparaison avec le mécénat royal, en aidant Molière contre les dévots, en protégeant Boileau et en intervenant aux côtés de Racine dans la querelle de *Phèdre*. Les mécontents qui se regroupent à l'Hôtel de Nevers sont la cible des attaques colbertistes et royales : on s'émeut, mais on cède, et on maugrée contre ce mot

L e chancelier Pierre Séguier, grand commis de l'État, instruit le procès Fouquet et rédige une partie du Code Louis. Il est aussi un protecteur exemplaire des arts et des lettres.

du roi, qu'on affirme authentique : «Je sais qu'on ne m'aime pas, mais je ne m'en soucie pas, car je veux régner par la crainte.»

Les auteurs sous le joug de Colbert et de Chapelain

Nouveau mécène travaillant pour le compte d'un nouvel Auguste, celui qu'on appelle «le Maquereau royal» (parce qu'il favorise avec efficacité et diligence les conquêtes féminines de son suzerain), se charge de rappeler aux écrivains que leur premier devoir est de chanter la gloire du roi. L'heure est au mécénat d'État.

Les écrivains officiels ont pour rôle d'attirer les anciens protégés des financiers, de gré ou de force. Chapelain joue ce rôle pour Colbert, avec constance, docilité et efficacité : les écrivains satiriques ne le lui pardonneront pas.

Unis dans leur haine des financiers, les deux hommes recrutent Charles Perrault (auteur de pièces galantes qui devient vite le premier commis à la surintendance des Bâtiments, futur homme de confiance du ministre) et deux autres zélateurs inconditionnels du roi et de Colbert : Bourzeis et l'abbé Cassagnes. Par l'odeur alléché, Charpentier rejoint rapidement la Petite Académie. À partir du 3 février 1663, chaque mardi et chaque vendredi, on se voit, on fait et on défait les carrières, on favorise, on gratifie, on pensionne.

Le charme discret de La Fontaine

Jean de La Fontaine est un de ceux qui, à cause de leur fidélité à Fouquet, ont le plus souffert du dédain du roi et de l'agacement de son ministre.

Plus largement, l'exemple de La Fontaine permet de saisir à la fois les difficultés de carrière que peut rencontrer un écrivain nécessairement lié aux Grands, à cette époque, et la complexité d'un esprit qui oscille, tout à fait sincèrement, entre l'épicurisme, le paganisme, la conversion et la dévotion.

La Fontaine doit, dès 1658, se rendre à l'évidence : les lourdes dettes de son père ne seront épongées que grâce aux protections des puissants. Or à l'époque, le mécénat a pour nom Fouquet. Introduit

Créée autour de Colbert et de Chapelain (auteur d'une épopée manquée, *la Pucelle ou la France délivrée*, 1652, et pourtant d'une grande puissance littéraire), la Petite Académie est une sorte de commission détachée de l'Académie française destinée à rechercher les «moyens de répandre ou de maintenir la Gloire de Sa Majesté». Estampes, pièces de prose et de vers, tapisseries, et surtout médailles, sont autant de supports suscités par ce puissant petit groupe pour chanter la majesté du souverain protecteur. La nouveauté n'est alors pas dans la louange qu'on fait du roi, mais dans la ténacité, le suivi, la méticulosité du travail et de sa surveillance. On assiste à une sorte de professionnalisation, de bureaucratisation du travail de propagandiste.

à la cour de Vaux, le poète y est pensionné et pourvoit aux amusements littéraires du ministre, en composant des ballades, des dizains, une idylle héroïque, *Adonis*, sur les thèmes galants à la mode, le règne de l'amour, la fatalité de la passion et la volupté des élans du cœur. L'arrestation du surintendant lui inspire l'élégie *Aux nymphes de Vaux* et l'*Ode au roi*, qui lui vaudront d'accompagner son oncle par alliance, Jannart, dans son exil à Limoges. Colbert et le roi se méfieront toujours un peu de ce fidèle, cigale pourtant bien négligeable à leurs yeux.

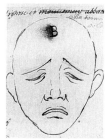

S' inspirant du *Traité des Passions* de Descartes, Charles Le Brun étudie la douleur, la frayeur, l'effroi, et cherche dans le visage des hommes l'apparence de l'animal.

Premiers contes, premières fables, ou : les bonnes fables font les bons amis

Le premier recueil de *Fables choisies mises en vers* (les cent vingt-quatre premières) paraît en 1668.

A nobli et fort libre de son temps, La Fontaine (page de gauche) se rend célèbre par ses *Contes et nouvelles en vers* (1664-1674) que Chapelain dit apprécier : pour l'auteur de *la Pucelle*, La Fontaine «a damé le pion à Boccace». «Frivole gracieux», il veut concilier le goût des salons, l'épicurisme mondain, l'humiliation d'être «de plume» et le choix des genres mineurs.

Si les *Contes* licencieux, ou pour le moins légers, ne lui avaient pas attiré toute la faveur souhaitée, les *Fables* couvertes de leur manteau de morale sont un succès. La Rochefoucauld et Condé les adorent. Jusqu'aux jansénistes proches du duc de Liancourt qui les citent avec passion et entreprennent de les faire apprécier à Port-Royal !

Un signe: après le demi-échec de son roman mêlé de vers et de prose, *les Amours de Psyché et de Cupidon*, les jansénistes lui confient la composition d'un *Recueil de poésies chrétiennes et diverses* publié en 1671.

La Fontaine oscille entre son inspiration de fabuliste et de conteur-poète (troisième livre des *Contes* en 1671), et son inspiration chrétienne, tentée par les genres nobles qui magnifient une carrière...

L'auteur des *Fables* et des *Contes* collabore à la traduction de *la Cité de Dieu* du janséniste Louis Giry, en 1664, et en 1674 à celle du *Saint Jérôme* par Arnauld d'Andilly. Il ne se résout pas pour autant à abandonner la grivoiserie et l'anticléricalisme traditionnels, en particulier dans les *Nouveaux Contes*, publiés en Hollande et saisis en France par le lieutenant de police...

A la recherche d'un nouveau mécène

L'année 1672 le renvoie, une fois de plus, aux réalités de l'écrivain d'Ancien Régime : la duchesse douairière d'Orléans meurt

❝ Je n'appelle pas gaieté ce qui excite le rire, mais un certain charme, un air agréable, qu'on peut donner à toutes sortes de sujets, même les plus sérieux. ❞
Préface au premier recueil de *Gaieté*

laissant son auteur sans toit et sans écus, et c'est Mᵐᵉ de La Sablière qui le recueille, le loge et l'entretient.

Dans cette nouvelle société brillante et lettrée, il écrit le second tome des *Fables* (1678) et convient qu'il est temps de faire sa cour au roi. L'*Ode sur la paix de Nimègue*, une louange à la maîtresse du roi, la si bien décoiffée Mˡˡᵉ de Fontanges, ainsi que la dédicace des *Fables* à Mᵐᵉ de Montespan et à sa sœur font l'affaire. Son succès efface un peu ses erreurs : il se voit représenté dans la «Chambre du Sublime» offerte au duc du Maine pour ses étrennes, en 1675.

Les animaux ne sont pas les «machines aveugles» de Descartes; ils illustrent la continuité de la nature, parfois son opposition aux pratiques humaines. Cependant, les animaux sont en minorité dans les *Fables* : 125 sur 469 personnages. 104 fables sont totalement «animales», 68 «humaines», et 64 mixtes.

Plusieurs siècles de tradition scolaire ont profondément modifié la lecture des *Fables.* En 1668, leur contenu moral ne s'adressait que fort peu aux jeunes gens : la leçon conventionnelle du *Corbeau et le Renard* ou de *la Cigale et la Fourmi* est dépassée par bien d'autres thèmes : faibles asservis par les forts, paysans, hommes de lettres, plaideurs, tous écrasés de dettes, ploient sous les impôts, en butte aux puissants et aux riches peu scrupuleux. Les médecins, les vantards, les éducateurs prêcheurs peints sous les traits de personnages emblématiques révélateurs des comportements humains sont enfin les figures de ces récits dont les lecteurs s'amusent fort.

La route de l'Académie

Mais être une figurine de cire aux côtés des Boileau, La Rochefoucauld, Racine, Bossuet et Mme de La Fayette, ne suffit pas à lui assurer une élection sans accroc à l'Académie française. En 1684, le roi lui préfère logiquement Boileau, son protégé, pour occuper le siège de Colbert, bien qu'il ait (officiellement) renié ses *Contes.*

L'année suivante, avec l'accord du roi, il est élu et dédie à sa protectrice un discours sur l'esthétique et la morale qu'il défend. Il abandonne les cercles libertins qu'il fréquentait assidûment pour se

De gauche à droite, en haut : le Renard et la Cigogne, le Renard et le Buste, le Renard et le Bouc. En bas : le Renard et les Raisins, le Renard à la queue coupée, le Serpent et le Villageois.

consacrer aux Incurables, mais revoit souvent la duchesse de Bouillon (qui sombre dans l'affaire des Poisons en 1687), laisse l'un de ses derniers contes à une courtisane et se fâche avec le puissant Lully.

Au cours d'une grave maladie, en 1693, il renonce définitivement et officiellement à la poésie autre que religieuse, sur l'ordre d'un prêtre qui devait lui administrer l'extrême-onction. On croit que sa tragédie lyrique, *l'Astrée*, sera son dernier ouvrage, et pourtant il compose encore quatorze fables (le livre XII, de 1694).

Enfin, il porte un cilice, sans rien dire à personne...

La Bruyère le juge «grossier, lourd, stupide», Corneille en fait un «misérable nourri par la charité». Il paraît, à la fin de sa vie, morne et mélancolique ; on le représente comme l'éternel assoupi aux séances de l'Académie, lui le poète «léger», «étincelant», «virtuose» et «primesautier» que la tradition scolaire retient...

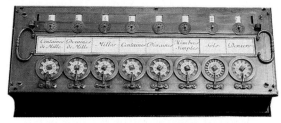

Avec Pascal, les jansénistes contre-attaquent

Qu'on se figure l'entrée tumultueuse d'un homme de trente-cinq ans, brillant, un familier des salons libertins, dans l'arène des luttes religieuses.

Un certain Blaise Pascal, né le 19 juin 1623 à Clermont, qui avait mis, depuis 1651, sa connaissance des mathématiques au service du jeu, en calculant, à la demande du chevalier de Méré, le «problème des partis», ou comment redistribuer les enjeux lorsqu'une partie s'arrête...

Un inventeur et un commerçant qui envoie à Christine de Suède, réputée pour son ouverture d'esprit, une machine arithmétique perfectionnée, dans l'espoir d'obtenir quelques dividendes...

Pour présenter sa machine arithmétique (ci-dessous à gauche), Pascal s'adresse à l'utilisateur dans un *Avis nécessaire à ceux qui auront la curiosité de voir la machine arithmétique, et de s'en servir* (1643). «Ami lecteur, cet avertissement servira pour te faire savoir que j'expose au public cette petite machine de mon invention, par le moyen de laquelle seul tu pourras, sans peine quelconque, faire toutes les opérations de l'arithmétique, et te soulager du travail qui t'a souvent fatigué l'esprit, lorsque tu as opéré par le jeton ou par la plume : je puis, sans présomption, espérer qu'elle ne te déplaira pas après que Monseigneur le Chancelier [Séguier] l'a honorée de son estime, et que, dans Paris, ceux qui sont les mieux versés aux mathématiques ne l'ont pas jugée indigne de leur approbation. [...] Je te prie d'agréer la liberté que je prends d'espérer [...] qu'en approuvant le dessein que j'ai eu de te plaire en te soulageant, tu me sauras gré du soin que j'ai pris pour faire que toutes les opérations, qui par les précédentes méthodes sont pénibles, composées, longues et peu certaines, deviennent faciles, simples, promptes et assurées.»

Les études physiques et mathématiques de Pascal le conduisent à reprendre les travaux du Florentin Torricelli et à démontrer l'existence du vide et de la pesanteur de l'air, du haut du puy de Dôme et de la tour de Saint-Jacques-de-la-Boucherie : il écrit un *Traité du vide* en 1647. Dans la préface (écrite vers 1651) qui nous reste de ce traité, il réfléchit sur la nécessité d'un esprit scientifique nouveau qui permette de rendre compatibles l'autorité due aux Anciens et les exigences d'un nouveau savoir. Il ne s'agit pas pour lui de les opposer, mais de considérer que la vérité scientifique est «évolutive» : «C'est ainsi que, sans contredire [les Anciens], nous pouvons assurer le contraire de ce qu'ils disaient et, quelque force enfin qu'ait cette Antiquité, la vérité doit toujours avoir l'avantage, quoique nouvellement découverte, puisqu'elle est toujours plus ancienne que toutes les opinions qu'on a eues, et que ce serait ignorer sa nature de s'imaginer qu'elle ait commencé d'être au temps qu'elle a commencé d'être connue.»

Un administrateur, qui imaginera, en 1662, les transports en commun pour la capitale de la France...

Latin et grec, option mathématiques

On le sait fort savant et enfant prodige, grâce à cette légende hors du commun patiemment constituée par sa sœur : brillant mathématicien, auteur à onze ans d'un *Traité sur la propagation des sons* (1634), capable à douze de comprendre seul les trente-deux premières propositions d'Euclide puis de discuter avec les habitués des réunions scientifiques que tient son père, entre deux traductions à livre ouvert d'œuvres latines et grecques.

Fermat, Roberval, Mersenne, les grands scientifiques de l'époque, étaient, paraît-il, aussi étonnés que le père du petit génie, lorsque ce jeune homme de seize ans leur proposa son *Essai sur les coniques* (1639-1640), avant de mettre au point une première machine arithmétique pour simplifier ses propres calculs et par la même occasion ceux de son père, qui venait d'être nommé intendant à Rouen pour l'impôt et la levée des tailles.

L'appel du monde et la voix de Dieu

Le jeune Blaise ne paye pas de mine. Toujours souffrant, toujours malade, il est en proie à des maux de tête insupportables, doit se déplacer avec des béquilles, et ne peut que boire très chaud et très doucement, selon l'ordre des médecins, cela depuis l'âge de dix-sept ans.

Habitué des salons et proche de Port-Royal, il s'oriente à la fois vers la religion la plus austère et la vie la plus divertissante qui soit.

L'accident de Neuilly et la nuit du 24 au 25 novembre 1654 le rendent, dit-on, au Dieu des jansénistes.

Entre les opinions jansénistes qu'il partage avec sa famille et le monde du divertissement, Pascal hésite encore. Il court aux réunions mondaines et s'affiche dans des cercles littéraires et philosophiques mal pensants, libertins donc, et ne semble plus tant souffrir. Place à la légende : cette vie le lasse à mesure qu'elle exclut les certitudes religieuses et morales. Pascal n'est plus sûr de rien : l'accident de Neuilly le sauve. Le 24 novembre 1654, ses deux chevaux de volée prennent le mors aux dents au milieu d'une paisible promenade, se jettent dans la Seine et laissent son carrosse juste au bord du fleuve. Pascal a frôlé la mort. Le soir même, il rencontre Dieu, et écrit un texte fervent. Ce *Mémorial* (page de gauche) sera recopié et cousu dans la doublure de son vêtement. Dès lors, Pascal est certain de sa victoire, il change de vie, s'éloigne des salons mondains, sans rompre pourtant avec eux, supprime les tapisseries de sa chambre, se passe de domestique, s'occupe des enfants pauvres et fait de fréquents séjours à Port-Royal.

Les Provinciales, le plaisir de polémiquer

L'année 1656 et les premiers mois de 1657 sont ceux des *Provinciales*. Le «Grand Arnauld», théologien janséniste et maître de Pascal à Port-Royal, est poursuivi par les libelles jésuites et la censure pour avoir exprimé cinq propositions contraires à l'orthodoxie.

La Faculté décide alors d'examiner si le «Solitaire» a fait preuve de témérité en ne trouvant pas dans Jansénius les propositions que Rome et les jésuites y lisaient. Menacé de prison, caché, Arnauld est dans une position bien difficile, et souhaite répondre à la polémique.

Il rédige sa justification, mais, à sa première lecture, ses auditeurs restent de marbre : piètre style de polémiste, murmurent certains... Pascal est au nombre de ceux-là, raconte Marguerite Périer.

«Vous qui êtes jeune, vous devriez faire quelque chose !» s'exclame alors Arnauld. Quelques jours plus tard, Pascal lit sa première lettre...

Attaquant les jésuites sur la question du duel, Pascal se recommande du roi. Les uns justifiaient le duel, l'autre l'abolit. «On doit louer Dieu de ce qu'il a éclairé l'esprit du Roi par des lumières plus pures que celles de votre théologie. Ses édits sévères sur ce sujet n'ont pas fait que le duel fût un crime, ils n'ont fait que punir le crime qui est inséparable du duel. Il a arrêté, par la crainte de la rigueur de sa justice, ceux qui n'étaient pas arrêtés par la crainte de la justice de Dieu, et sa piété lui a fait connaître que l'honneur des Chrétiens consiste dans l'observation des ordres de Dieu et des règles du Christianisme, et non pas dans ce fantôme d'honneur que vous prétendez, tout vain qu'il soit, être une excuse légitime pour les meurtriers. Ainsi vos décisions meurtrières sont maintenant en aversion à tout le monde, et vous seriez mieux conseillés de changer de sentiments, si ce n'est par principe de religion, au moins par maxime de politique.»
Les Provinciales,
lettre VII

Même si d'autres auteurs donnent des versions différentes de cette entrée en polémique, tous conviennent de l'extrême rapidité avec laquelle Pascal a formulé sa réponse. La *Lettre écrite à un provincial par un de ses amis sur le sujet des disputes présentes à la Sorbonne* paraît à la fin du mois de janvier 1656 et fait grand bruit. La défense surprend d'autant plus que le ton n'a rien à voir avec celui de ces Messieurs.

Qui persuader ?

Le premier public visé est celui des mondains qui suivent de plus ou moins près les rebondissements de l'opposition entre les jésuites et les jansénistes.

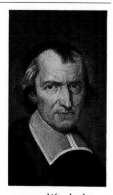

Pour défendre le couvent de la mère Angélique Arnauld (ci-contre), abbesse depuis 1602 (à l'âge de dix ans et demi) et le «Grand» Arnauld d'Andilly (ci-dessus), son frère, Pascal s'engage, au plus fort de la bataille. Pourtant, il n'est pas membre du couvent. Arnauld et Nicole sont ses maîtres, l'un l'admire, l'autre l'estime mais est loin d'être son intime, quelques-uns redoutent autant son orgueil que les fréquentations mondaines et libertines qu'il ne cesse d'entretenir en cette période. Et, au sein de l'abbaye, on appelle le petit groupe que Pascal préside «les Pascalins», pour les différencier des autres.

Les débuts de Port-Royal

L a mère Angélique Arnauld d'Andilly qui dirige le couvent de Port-Royal, à quelques lieues de Paris, décide de prendre comme confesseur, en 1633, l'abbé de Saint-Cyran, grand lecteur de saint Augustin et ami de Cornélius Jansen, un ecclésiastique flamand auteur de *l'Augustinus*. C'est alors que l'histoire commence... À Paris, on ne parle plus que des «Solitaires», et des retraites spectaculaires des trois neveux de Robert Arnauld d'Andilly, frère de l'abbesse, et des «Messieurs» (Nicole, Lancelot, Lemaistre de Sacy) qui les rejoignent pour réfléchir sur la théologie autant que sur les textes classiques. Réprimés par Richelieu, assimilés souvent à tort aux frondeurs puis aux opposants de toute sorte, les «jansénistes» voient les orages se succéder : Arnauld est visé, polémique encore, est exclu de la Sorbonne le 31 janvier 1656 et perd ses privilèges de *socius sorbonicus*.

" Saintes demeures du silence,
»Lieux pleins de charmes et d'attraits,
»Port où, dans le sein de la paix,
»Règnent la Grâce et l'Innocence;
»Beaux déserts qu'à l'envi des cieux,
»De ses trésors les plus précieux
»A comblés la nature,
»Quelle assez brillante couleur
»Peut tracer la peinture
»De votre adorable grandeur? **"**

Attribué à Racine,
Poésies posthumes

Comment on mate une hérésie

M algré l'entrée en lice de Pascal et le succès des *Provinciales*, le pape Alexandre VII condamne *l'Augustinus*, suivi par le roi et l'assemblée du clergé. Après de multiples atermoiements et arguties, il faut bien signer un «formulaire»... D'abord conciliant, le pouvoir se fait plus pressant. En août 1664, l'archevêque de Paris vient lui-même à Port-Royal, somme les religieuses de signer sans restriction aucune, et se heurte à un refus. Douze d'entre elles, les plus décidées, sont dispersées dans divers couvents, les autres sont privées de sacrements et placées sous la surveillance de six visitandines bien loyalistes et d'un certain nombre d'archers. Quelques-unes cèdent, les autres doivent résider sous bonne garde à Port-Royal des Champs. Les «Solitaires» sont renvoyés des Granges qu'ils occupaient depuis 1648, doivent fermer les Petites Écoles et se disperser. C'est le traitement habituel d'une hérésie.

L'impact du jansénisme

M ais Port-Royal des Champs ne désarme pas. Après une longue lutte, quatre évêques rebelles et l'ensemble des religieuses signent un formulaire qui distingue le droit du fait : le pape a cédé. C'est la Paix de l'Église. Durant les trente années qui suivent, les jansénistes vont renforcer leurs positions à Paris et en province, d'abord dans la haute et moyenne magistrature, puis dans la noblesse et la bourgeoisie parlementaire, ainsi que dans le bas clergé et certains ordres religieux. Le jansénisme est ainsi moins un ensemble de positions très précises qu'une manière grave, sans compromis, de concevoir l'insertion de l'individu ou de la communauté dans la foi, en accord avec une conception austère de la vie chrétienne. Certains, les plus extrémistes, se retireront du monde dans une attitude de refus ou de passivité, mais de manière plus générale, le jansénisme est perçu comme un mouvement de contestation de l'autorité, lorsqu'elle ne se fonde pas sur l'Écriture.

C'est dans ce public, auquel la casuistique jésuite était pourtant destinée, que le succès des *Provinciales* sera le plus grand. Pour lui, Pascal radicalise les thèses casuistes en insistant sur leurs excès et en les caricaturant.

Loin de condamner tous les jésuites, Pascal s'attaque aux plus virulents d'entre eux. Les jésuites sont présentés comme agissant en fonction de fins humaines, cherchant à renforcer la puissance de leur ordre, leur pouvoir dans la société, capables d'aménager les Saintes Écritures selon le bon plaisir des fidèles, usant de l'artifice et oubliant ainsi les vérités de l'Évangile et l'amour de Dieu.

Mais *les Provinciales* sont aussi destinées aux hommes d'Église, aux juges ecclésiastiques et laïcs, pour les aider à prendre parti. Enfin, par-delà les lecteurs communs, elles sont une adresse au roi, pour justifier à ses yeux un courant de pensée qu'il est amené à condamner et s'attirer ses bonnes grâces, ainsi que celles de la Cour.

Pascal laisse ses *Pensées* dans le désordre

La grande figure du combat janséniste meurt le 19 août 1662, laissant une impressionnante quantité de papier noirci au gré des insomnies. Quelques éléments furent publiés à part, particulièrement les opuscules scientifiques. L'*Abrégé de la vie de Jésus-Christ* fut considéré comme une œuvre achevée, et publié comme telle, à l'instar des *Écrits sur la Grâce*, fragments distincts du reste des papiers qu'on appela les *Pensées*.

La pensée de Pascal découle de la conception de saint Augustin : la Chute détermine une séparation des ordres, et c'est dans l'ordre de la chair qu'intervient la politique. Dès lors, la politique ne peut qu'être corrompue, comme la nature. Il y a bien une justice, d'ordre divin, mais la corruption de l'homme l'empêche de l'atteindre. Ainsi, puisqu'il n'y a pas de justice humaine en soi, il faut établir une justice fausse par nature, imposée par la force, mais apparemment supportable et juste. Dans ce sens la hiérarchie (nobiliaire et royale) est infondée au regard de la justice, mais nécessaire pour que les hommes vivent en paix. Il faut jouer le jeu social, mais on peut n'être pas dupe... Il n'y a pas là de quoi satisfaire le pouvoir royal !

«La vraie éloquence se moque de l'éloquence »

Dans ces textes fiévreux, Pascal déploie toute la gamme de ses talents, et de ses séductions. Ces feuilles classées, trouées, griffonnées forment une aventure spirituelle, philosophique et scripturale exceptionnelle, maintes fois reprise et jamais publiée de son vivant. Fulgurants, dérangeants pour tous sont ces fragments, avec un ton, un style particulier, immédiat, où la polémique, la pédagogie, l'apologie, la sensibilité se côtoient.

Mon Dieu, le beau sermon ! Bossuet, Bourdaloue, Fléchier et les autres

En cette journée de mercredi saint 1671, une volée de laquais assiège l'église où le père Bourdaloue doit prêcher le lendemain. La lutte est chaude et ne va pas sans quelques horions. C'est que le père jésuite prêche divinement, affirme Mme de Sévigné. Les grandes dames n'apparaîtront que le jeudi saint, en retard de préférence, accompagnées de leurs valets, l'un portant le carreau de velours rouge, pour le confort mis à rude épreuve durant ces longues oraisons, l'autre tenant un sac contenant le moyen de satisfaire des envies pressantes que la méditation religieuse ne peut assouvir... On appela cet objet, plus tard, un «bourdaloue»...

Les hommes à la mode envahissent l'autel, de la même manière qu'au théâtre ils occupent les banquettes de la scène, et s'entretiennent d'importance pendant l'office, en attendant le prédicateur. On s'apostrophe, on s'admire, on se salue, on se souvient d'autres prêches, on en discute le goût, le style, l'ampleur — rarement la spiritualité ! En ce siècle éclatant, les églises célèbrent les fêtes de l'éloquence —, le «grand genre», avec l'ode et l'épopée.

Enfin l'avent ! Enfin le carême ! Les affiches dans les rues et la *Gazette* de Loret annoncent les prêches, le public se presse aux portes des églises, on se prépare, on se pâme d'aise à la moindre période, on frémit devant les affirmations péremptoires, on glousse à l'écoute des paradoxes... C'est le temps des sermons.

B ourdaloue déclame les yeux fermés, sur un ton monocorde, gesticulant avec assez de conviction pour ne pas endormir son auditoire.

L'éloquence de la chaire

A partir des années 1660, le goût mondain, élégant et délicat, tourné vers la raison triomphante, s'établit dans les chaires. Non point qu'on abandonne un certain nombre d'effets que la sublimité du lieu impose — «l'éloquence doit demeurer au service de la sagesse» — mais on en vient à dresser, avec Fléchier, un plan clair, à organiser des développements équilibrés, à calquer les périodes cicéroniennes. Bourdaloue (dès 1669), lui, s'attache à analyser le cœur. En témoin de la vie intérieure du fidèle-spectateur, il dramatise, tonne, se fait terrible et «frappe comme un sourd» (Mᵐᵉ de Sévigné) sur les impies. Il sera ensuite relayé par Massillon. Sermons appris par cœur, mais dont la prononciation «pénètre l'âme».

Les oraisons funèbres ne sont qu'une partie du protocole prévu pour l'inhumation d'un Grand. Il y a aussi les convois qui traversent la ville... Ainsi celui de la Grande Mademoiselle, Mˡˡᵉ de Montpensier, en 1693, qui permet au peuple de mesurer l'importance d'une des grandes figures du siècle, à travers la pompe du cortège.

Cependant, celui qui marque son siècle de sa grandeur attique, c'est Bossuet, le «coryphée des prédicateurs», selon Bayle, le «prince de l'éloquence sacrée»... De 1660 à 1669, il prêche, avec beaucoup de succès, dans les grandes églises de la capitale, puis prononce à la Cour les oraisons funèbres qui font encore plus pour sa renommée.

Comment oublier le «Madame se meurt! Madame est morte!» de l'*Oraison funèbre d'Henriette d'Angleterre* (1670)? Et celles qu'il compose pour Henriette de France (1669), pour la reine Marie-Thérèse (1683), pour la Princesse Palatine Anne de Gonzague (1685), pour le chancelier Le Tellier (1686), ou pour le prince de Condé (1687), toutes imprimées sur-le-champ, pour la plus grande gloire du défunt et de l'orateur? Classique, «cicéronien», il a le goût de la période oratoire qui séduit et convainc en particulier le public mondain. La rhétorique sublime lui permet d'utiliser la «sainte simplicité», jusque dans le rappel de petits détails émouvants ou symboliques, qu'il va chercher dans la vie des disparus. Au sein de son raisonnement, il sait

P ersuadé, assuré de détenir la vérité absolue, Bossuet engage toute sa vie à défendre, consolider, étendre le règne de cette vérité. Tendu vers ce seul but, il mobilise les énergies spirituelles. Son éloquence naît de ce savoir et de cette ferveur. Contrôlée par la raison, elle ne déborde jamais les certitudes du théologien.

inclure les affirmations péremptoires, comme des chocs salutaires, des paradoxes et des antithèses qui animent son discours et traduisent en image l'action divine. Dans ces églises surchargées de décorations baroques, la Mort triomphe, contrepoint indispensable à l'éclat du monde.

Bossuet : une grande carrière ecclésiastique

Convertisseur hors pair de protestants et de juifs dans sa bonne ville de Metz, membre du parti dévot et de la Compagnie du Saint-Sacrement, vainqueur de Turenne et de Dangeau abjurant grâce à lui leur triste état de huguenots, exécuteur du théâtre pour sa scandaleuse amoralité, grand pourfendeur de jansénistes et brillant contradicteur de Nicole, Arnauld et consorts dans toutes les conférences de l'Hôtel de Longueville, ultramontain au tout début du règne personnel, proche de la Cour ensuite, donné comme C.M.P. (*Catholicus Mollior Politicus*, «catholique mou et politique») par les partisans de Rome en 1673, Jacques Bénigne Bossuet a su faire une carrière ecclésiastique des plus impressionnantes.

Il plaît : de grands personnages comme Mme de Montespan, Mme de Maintenon, La Rochefoucauld, Mme de La Fayette et Mme de Sablé, ne parlent plus que de lui. Son *Oraison funèbre d'Henriette d'Angleterre*, le 21 août 1670 est un succès, et le roi le nomme précepteur du Dauphin le 5 septembre. Homme du monde «gracieux» et modéré, il sait accueillir Racine, Boileau et La Fontaine dans son cénacle. Les jansénistes sont surpris par la souplesse de sa pensée et vont parfois jusqu'à le considérer comme un ami.

Logiquement, l'Académie française le rend Immortel, en 1671. Sa réussite ne se dément pas. L'homme de cour, religieux et pédagogue, devient, à cinquante-cinq ans (1681, un an après le mariage de son élève), évêque de Meaux, à deux pas de Paris, et règne sur les affaires ecclésiastiques.

Il est «l'Aigle de Meaux» qu'on redoute et respecte, occupant gravement sa place de chef moral de l'Église de France.

B ossuet use de toute sa force de persuasion pour soutenir le roi dans sa politique religieuse, un roi dont il ne fut jamais ministre, à peine conseiller, mais dont il sut asseoir le pouvoir par une théorie théologique de l'absolutisme politique. «Le trône royal n'est pas le trône d'un homme, mais le trône de Dieu même.» (citation de *Politique tirée des propres paroles de l'Ecriture sainte.*)

LES PLAISIRS,
DE
L'ÎLE ENCHANTÉE
Du second & troisième Iour.

« Le Roi, voulant donner aux reines et à toute sa Cour le plaisir de quelques fêtes peu communes, dans un lieu orné de tous les agréments qui peuvent faire admirer une maison de campagne, choisit Versailles, à quatre lieues de Paris. C'est un château qu'on peut nommer un palais enchanté, tant les ajustements de l'art ont bien secondé les soins que la nature a pris pour le rendre parfait. »

Les Plaisirs de l'île enchantée

CHAPITRE II

« NEC PLURIBUS IMPAR »

« Supérieur à tous les hommes », la devise de Louis XIV ne correspond pas à une simple manifestation d'orgueil. Le pouvoir absolu du roi n'est pas un pouvoir despotique, car le roi connaît sa position et n'en abuse pas. Il n'est pas au-dessus de l'État, il est l'État.

Versailles, du simple relais de chasse au château mirifique

Le 7 mai 1664, à la tombée de la nuit, s'avance un grandiose défilé. Précédé de huit trompettes et deux timbaliers, le roi se montre, tel qu'en lui-même. Armé à la manière des Grecs, il est le somptueux Roger de l'Arioste, «montant un des plus beaux chevaux du monde, dont le harnais couleur de feu [éclate] d'or, d'argent et de pierreries». Les ducs, les princes et les princesses suivent le héros, conscients de leur rôle, sûrs de leur apparence, certains de leur splendeur : la Cour s'est mise en scène.

Versailles, cet ancien relais de chasse déguisé en petit château, accueille plus de six cents personnes.

Depuis plus d'un an, on prépare ces *Plaisirs de l'île enchantée*, qui doivent surpasser l'entrée de Louis XIV et de Marie-Thérèse d'août 1660, le Carrousel des Tuileries de juin 1662, ainsi que toutes les fêtes d'un certain surintendant qu'il est fort mal venu d'évoquer...

Pour Richelieu, ministre de Louis XIII, le roi, incarnation du pouvoir absolu, ne pouvait pas vraiment exercer ses prérogatives et devait se reposer sur son principal ministre, qui savait apprécier la raison d'État, et sur ses collaborateurs. Louis XIV, lui, décrète que seul le roi est dépositaire du pouvoir absolu et, partant, qu'il est le seul à connaître la raison d'État, ce «mystère divin» auquel il obéit. Il est le seul à savoir le Tout et à être

responsable de tout. D'une autre essence que les hommes, il ne peut donc en aucun cas être jugé par eux. Sa devise devient naturellement «*Nec pluribus impar*»: Il n'a pas son pareil.

Pour le plus grand plaisir et pour la plus grande gloire du roi...

Poètes, peintres et musiciens se sont empressés de participer à l'entreprise, certains pour se faire pardonner d'anciennes allégeances, d'autres par ambition, et tous pour y briller. Benserade, Molière, Corneille, Lully, Vigarani écrivent, retouchent, construisent, ne cessent de répéter et de s'agiter afin d'offrir au nouvel astre régnant «le plus agréable concert du monde», et les pièces les plus divertissantes, au milieu des laquais enfiévrés et des chevaliers empanachés.

Le 8 mai, Lully et Molière, encore très liés, par amitié autant que par intérêt, donnent *la Princesse d'Élide*, bergerie galante mêlée de musique,

À Versailles, la noblesse doit paraître. Par là elle s'enferme mais ne cesse pourtant de s'enrichir en spéculant à la ville. Pour elle, comme pour les financiers, l'État est une vaste tirelire et non une machine qui produit. Loin de l'argent facile, au creux de la misère, à deux pas du château, il y a les paysans...

rapidement rédigée sur l'ordre du roi. Compte tenu de l'urgence, Poquelin n'a pu ficeler en vers que le premier acte, mais on rit aux situations, on se divertit aux ballets, aux «symphonies» et aux intermèdes. Mlle de La Vallière est rayonnante, on parle d'elle à mots couverts, en chantant l'amour («Rien n'est beau que d'aimer», proclament les couplets), et Louis la regarde, éclairé par les «deux cents flambeaux de cire blanche, tenus par autant de personnes vêtues en masques».

Les tournois, les jeux, les feux d'artifice, la féerie de l'eau, tout conduit à vivre dans l'atmosphère du *Roland furieux*, au sein de cette île baroque que l'auteur italien avait imaginée, plus de cent ans plus tôt. La Cour sanctionne là une référence esthétique essentielle de   l'imaginaire romanesque.

❝ L'on voit ces animaux farouches, des mâles et des femelles, répandus par la campagne, noirs, livides, et tout brûlés de soleil, attachés à la terre qu'ils fouillent et qu'ils remuent avec une opiniâtreté invincible. [...] Ils épargnent aux autres hommes la peine de semer, de labourer et de recueillir pour vivre, et méritent ainsi de ne pas manquer de ce pain qu'ils ont semé. ❞

La Bruyère,
les Caractères

Des *Fâcheux* à *Tartuffe*

Au soir du 11 mai, après avoir visité la toute nouvelle ménagerie du roi, on assiste à la représentation des *Fâcheux* de Molière. La pièce rappelle bien un peu les fêtes de Vaux, où elle fut pour la première fois jouée, le 17 août 1661, mais le roi raffole de ce catalogue d'importuns, et a même fait ajouter «un caractère de fâcheux».

Le 12 mai, au soir de la sixième journée des fêtes, après la loterie où la reine gagne le gros lot et à l'issue d'un dîner fort copieux, le roi convie ses courtisans à assister à la première représentation d'un *Tartuffe* en trois actes, probablement inachevé. Les ennemis du plaisir n'y ont pas bonne presse : une fois de plus, le roi trouve Molière «divertissant». Mais la reine mère et les dévots en jugeront autrement.

Les fêtes de cette Cour itinérante émerveillent les courtisans, la ville qui les écoute dans les salons, la nation tout entière qui entend parler de ces fastes, et l'étranger enfin qui en lit les chroniques. Au Louvre, aux Tuileries, à Saint-Germain, à Chambord, à Fontainebleau puis à Versailles (de temps en temps à partir de 1674, et surtout de 1684), l'apparence est reine puisqu'elle est la réalité du royaume.

Les deux Cours

Depuis 1661, cette Cour subit une lente évolution.

A la mort de Mazarin, le pouvoir est d'abord réparti entre deux Cours. Celle du jeune roi et celle d'Anne d'Autriche.

La vieille Cour, groupée autour de la reine mère, compassée, fière, espagnole et dévote, n'aime pas l'arrogance cynique dont font preuve les jeunes gens. Anne d'Autriche a oublié depuis longtemps les folles années de sa jeunesse et ses scandales à la

Mariage politique que celui de Monsieur, frère du roi (à droite) et d'Henriette d'Angleterre. Mariage diplomatique que celui de l'infante d'Espagne, Marie-Thérèse (ci-dessus) et du jeune roi encore follement épris de Marie Mancini, nièce de Mazarin. Symbole de la réconciliation entre la France et l'Espagne, cette alliance, digne des deux royaumes, se fait avec toute la pompe requise, à Saint-Jean-de-Luz, le 9 juin 1660. Union sans joie mais union politique : la succession d'Espagne vaut bien une cérémonie...

Cour, malgré le rappel qu'en font régulièrement d'impudents libelles...

La jeune Cour, folle, bigarrée, perdue dans ses plaisirs, déteste ces dévots, ou les ignore. Le roi et sa Cour sont à l'époque essentiellement nomades, se déplaçant d'un château à un autre, escortés par des armées de carrosses et de chariots. La licence affichée, la promiscuité, l'imprévision donnent aux défilés et aux cérémonies un caractère de fantaisie que l'image figée, bien postérieure, de Versailles fera disparaître. Le vieux Louvre, inachevé à l'est, croulant au centre et à l'ouest, est aussi humide que puant, et les châteaux de Vincennes, de Saint-Germain, de Fontainebleau et de Chambord permettent aux courtisans de s'aérer quelque peu.

Henriette d'Angleterre, «Madame», belle-sœur du roi, tout occupée aux plaisirs imprudents de ses passions infidèles, est l'un des phares de cette jeunesse.

Philippe d'Orléans, «Monsieur», son mari, trop occupé par ses propres amours homosexuelles, préfère la laisser concurrencer le roi dans le nombre de ses conquêtes.

Jamais Louis XIV n'a voulu faire de son fils, «Monseigneur», le Grand Dauphin (mort en 1711), un pâle «soleil de janvier». En attendant de l'associer pleinement aux affaires de l'État, il lui donne une éducation à la mesure de l'héritage qu'il compte lui laisser. Point de discipline qui ne lui soit enseignée, de la danse au grec et de la logique à la vénerie. Pour lui, le roi résume ses idées politiques dans ses mémoires, pour lui encore, il engage Bossuet à synthétiser la théorie de la monarchie absolue...

Louis XIV collectionne tout, les tableaux, les gravures, les sculptures, et les maîtresses, officielles ou non. On adore «croquer le roi», intriguer, jouer de ses avantages pour saisir au vol une part du pouvoir absolu. Les ministres n'y échappent pas et ont partie liée avec Mlle de La Vallière ou avec Mme de Montespan. Colbert se sert de la première, avant de renverser son alliance pour s'allier à la seconde que Louvois, au tout début, protège, avant de la combattre.

Des personnages à part

Les principaux personnages de la Cour, et *a fortiori* le roi, ont profondément conscience d'être au-dessus des lois. Leur morale échappe aux catégories ordinaires que les bourgeois conçoivent sous les ordres de leur directeur de conscience. Et si Louis se sépare, au fil du temps, des seigneurs dissolus, comme Guiche, de Vardes, ou le chevalier de Lorraine, apôtres des plaisirs du roi ou de ceux de son frère, c'est pour leur refuser les facilités morales qu'il s'octroie à lui-même. Les «grands seigneurs méchants hommes» sont exilés, disgraciés, les femmes enfermées dans les couvents, et le pardon royal n'intervient que des années plus tard, pour offrir aux nouveaux courtisans les exemples salutaires de la force du pouvoir, de sa morale et de sa mansuétude.

Les Arts et Lettres aux ordres du Roi

A travers l'exercice du pouvoir et les fêtes qui le célèbrent, la Cour devient le centre culturel de la nation. Liée organiquement à la ville, elle joue un rôle d'initiatrice, lançant les modes et les tendances, tranchant les querelles littéraires, quitte à émouvoir quelques esprits chagrins.

Louis XIV et Colbert, son ministre, ont pour la France un grand projet culturel, donc politique. L'art doit être au service de la monarchie qui le subventionne — et le surveille. L'Académie de Richelieu est réveillée, soutenue et motivée. Perrault envisage, en 1666, de réunir toutes les académies dans une académie générale où les sciences, les lettres et les arts seraient représentés.

L a chasse, la danse, les femmes : ainsi s'est forgée la légende des Bourbons. Mœurs brutales, goût pour les historiettes grivoises : à la Cour, il est de bon ton de détester les langueurs amoureuses et de renverser les dames sous les escaliers. Mais quand il s'agit des maîtresses du roi, Mme de La Vallière (de 1661 à 1667, ci-dessus) et Mme de Montespan (de 1667 à 1681, ci-dessous), personne n'ose lever les yeux sur elles.

A vec la Fronde, les aristocrates cessent d'être des mécènes. L'État prend le relais : c'est le temps du mécénat d'État. Il faut maintenant courtiser les Grands qui vous protégeront et vous introduiront auprès du roi mécène. Le monarque décidera seul des places prestigieuses, parfois aidé de son ministre. Pour un scientifique, un artiste ou un écrivain, un siège dans une grande académie (ici l'Académie des sciences et des beaux-arts) signifie à la fois qu'il est reconnu, et que lui-même fait acte d'allégeance au souverain qui l'a désigné.

Le projet échoue, mais il est symptomatique de cet effort de centralisation et de mainmise imaginé par les tenants du pouvoir royal.

Les académies de peinture particulières sont interdites en 1662 : «défense est faite aux particuliers de tenir une académie et de poser modèle»; en février 1663, les sculpteurs et les peintres du roi sont réunis dans leur Académie, sans qu'il leur soit permis de faire autrement. L'Académie des sciences est créée en 1666, l'Académie d'architecture instituée en 1671, l'Académie de musique en 1672, l'Académie française est réformée et privée de son autonomie en 1672.

Il faut travailler pour le roi : les dix membres de l'Académie d'architecture doivent établir des rapports sur les questions qu'on leur pose et les scientifiques sont régulièrement consultés par Colbert sur les problèmes techniques que son administration leur soumet.

C harles Le Brun (1619-1690), premier peintre du roi, règne sur les Arts jusqu'à la mort de Colbert. Admirateur de Poussin et de ses idées sur la peinture, le héraut du régime se voit confier la direction de la Manufacture de tapisseries des Gobelins à laquelle Louis XIV attache une particulière attention (ci-dessus).

Quant aux Académiciens français, grâce au fidèle Perrault, éternel héraut et «factotum» du régime, le nouveau statut dont ils sont affligés les tient d'assister aux réunions (procès-verbal et jetons de présence obligent), rend publiques les réceptions, et surtout modifie le recrutement de manière que le pouvoir surveille les élections.

Le Palais du Roi, symbole de la magnificence monarchique

Enfin, il faut constituer les lieux symboliques du pouvoir. Le Louvre, l'Institut, et surtout Versailles ont pour charge de représenter, par leur apparence, l'État monarchique. Lorsque le roi et la Cour arrivent à Versailles pour s'y installer, le 6 mai 1684, ils évoluent au milieu des maçons, sous les échafaudages de la Grande Galerie, affolés par le bruit, l'imprévision, la grandeur, la presse... Dans l'absolue confusion, Louis et ses courtisans cherchent une place où se loger.

De la représentation des légendes mythologiques, le peintre royal passe à la transcription des grands événements du royaume : l'épopée du Roi-Soleil est son sujet essentiel. Cartons de tapisserie, modèles d'orfèvreries et de meubles pour les palais, de statues, de fontaines pour les parcs et pour les places sont ses menus travaux. Il organise aussi les fêtes, feux d'artifice et pompes funèbres, commente Poussin, étudie «la physionomie de l'homme dans ses rapports avec les animaux» et décore Versailles.

Du relais au palais

En construisant un palais pour y loger sa Cour, ses ministres, ses maîtresses, le roi, seul représentant du pouvoir, veut voir son domaine à l'image de sa grandeur. Ainsi, Versailles, du petit château Louis XIII en brique, pierre et ardoise, va devenir peu à peu la résidence-capitale du royaume. Le Vau, entre 1662 et 1670, entoure le château d'une «enveloppe» en pierre à l'italienne, élargit la butte sur laquelle il est construit et assèche les marécages pendant que Le Nôtre trace les axes des nouveaux jardins. C'est ainsi (ci-contre) que le peint Pierre Patel en 1668. Jules Hardouin-Mansart, entre 1678 et 1708, assisté de Le Brun, de Le Nôtre et d'une armée d'artistes, transforme ce lieu en palais. Il fait édifier une véritable colline, draine la région et enfin installe à Marly une machine qui pompe l'eau de la Seine. La galerie des Glaces, face aux jardins, les deux ailes (du midi et du nord), les ailes des ministres (les deux bâtiments en avant du château) datent de cette période et ne figurent donc pas sur ce tableau.

Le monde des jardins

Dans sa *Manière de montrer les jardins de Versailles*, qu'il écrit en vingt-cinq petits paragraphes, Louis XIV guide le visiteur dans ses jardins. Il n'est pas question d'y rêver mais d'y paraître, d'y circuler selon l'étiquette, de participer à un nouveau rite, de suivre enfin un chemin initiatique. La nature doit être disciplinée, comme le goût, et ce n'est pas Le Nôtre, l'architecte des jardins, qui s'opposerait à ce jugement. Au milieu des bassins symétriquement ordonnés, au confluent des allées bien tracées, sous des frondaisons taillées, au sein d'un labyrinthe anguleux, les statues introduisent les dieux, les figures, les emblèmes de cette mythologie qui fait partie du paysage quotidien des arts et des lettres. L'eau, venue à grands frais de Marly, est dirigée, muselée, puis violemment jetée dans les airs : elle assure et contente la puissance royale. «Quand on sera au bas [du jardin], on fera une pause pour considérer les gerbes, les coquilles, les bassins, les statues et les portiques.»

Toute la flotte royale sur le Grand Canal

Dans cet immense chantier qui dure trente années, le château et le parc prennent peu à peu la forme qu'on leur connaît. Les ailes deviennent totalement logeables vers 1689, la chapelle est consacrée en 1712, et, face à la façade, on creuse de nouveaux bassins, de nouvelles allées, déterminant de nouveaux parcours. Sur le Grand Canal, on célèbre la suprématie récente de la marine royale, et sa flottille devient l'image réduite de la flotte française. Ces petits navires, modèles réduits pour croisières rapides, évoluent au milieu des cent quatre-vingt-quinze cygnes danois, entre les gondoles de Venise, la felouque napolitaine, quelques yachts à l'anglaise, et croisent fièrement la réale, réplique de la fameuse galère dont s'enorgueillit l'escadre de Marseille.

Lully, le grand «Maître de la Musique royale» : un pouvoir absolu

En l'église des Feuillants de la rue Saint-Honoré, au mois de janvier 1687, une armée de choristes, soutenue par une centaine d'instrumentistes, entame un *Te Deum* solennel et grandiose sous la direction de l'ami du roi, ce «cher Lully». L'orgueilleux conseiller-secrétaire du roi, anobli depuis peu, frappe à grands coups le sol de sa haute et lourde canne, pour marquer le rythme, comme à son habitude. Cette tradition, partagée par tous les grands chefs d'orchestre d'Europe va le perdre. Au beau milieu d'une phrase musicale particulièrement soutenue, la canne atteint l'orteil, et non le plancher... Plaie ouverte, inflammation, gangrène, médecins de comédie, tout est alors contre lui : le pied, la jambe puis tout le corps sont rongés en un mois et demi.

Le compositeur le plus puissant du royaume est tué par la basse continue.

Et Dieu sait si la musique de cet Italien a marqué la France, durant de longues années !

L'Italie : politique, musique et opéra

Depuis Mazarin, le ballet de cour français avait cédé la place aux airs italiens. Les compositeurs, les chanteurs, les décorateurs, les machinistes, les librettistes transalpins s'étaient installés à la Cour.

L'opéra, convention toute nouvelle pour une France jusqu'ici assez conservatrice en matière de musique, entre en force dans les années 1650, mais les auditeurs ne sont pas prêts à l'entendre. La musique est un art ornemental, même si l'ornement est fondamental. Chanter de bout en bout une tragédie ou une comédie est difficile à admettre pour un spectateur qui aime les longues et larges

L e monarque de la musique est florentin (né en 1632) et fils de meunier, ce qui n'arrange rien, car, de tradition et depuis qu'on lit des romans espagnols, tous les meuniers sont de fieffés voleurs...

mélopées émises à partir de pompeux alexandrins ou qui se borne à admirer les pantomimes et les ballets placés en intermèdes au sein des comédies. Trop longs, peu intelligibles, noyés dans les machines du «Grand Sorcier» Giacomo Torelli, les opéras italiens doivent s'adapter ou mourir.

Les deux expériences qui vont les sauver ont valeur de compromis. Il s'agit de partir d'un genre national (la tragédie, le ballet de cour) et de l'adapter aux manières italiennes, par paliers. En 1650, Pierre Corneille, dans *Andromède*, utilise les machines et la musique dans la tragédie : c'est un succès.

Quatre ans plus tard, Mazarin demande qu'on mêle à une comédie entièrement chantée en italien, *le Nozze di Peleo e di Theti*, un ballet de cour français. La tentative fait *juris prudentia*, et désormais, les divertissements dansés et chantés vont figurer dans les grands spectacles donnés à la Cour. Les comédies-ballets, les tragédies-comédies (en particulier *Psyché* de Molière et Lully, 1671), puis, en 1673, les tragédies en musique peuvent naître...

L'ascension de «Baptiste»

Jean-Baptiste Lully ravit Louis XIV par sa musique et ses bons mots.

Ce «coquin ténébreux», selon Boileau, ce «paillard», selon La Fontaine, en profite : il devient le monarque des arts musicaux.

Les fêtes de Versailles, de 1664 à 1668, en font la coqueluche de la Cour, il fait la musique des comédies-ballets de Molière (*le Mariage forcé, l'Amour médecin, le Sicilien, la Princesse d'Élide, les Amants magnifiques, Monsieur de Pourceaugnac, le Bourgeois gentilhomme*), collabore avec Quinault, Poquelin et Corneille au succès de *Psyché*, en 1671, en ajoutant de vraies scènes d'opéra, compose de grands chefs-d'œuvre pour l'Église et devient une puissance respectable, un pouvoir musical. De son somptueux hôtel particulier de la rue Sainte-Anne, il régit l'ensemble du théâtre musical français, grâce à Colbert qui lui permet de racheter au poète Pierre Perrin le privilège de l'opéra en France et la direction de l'«Académie d'Opéra» qu'il se fait confirmer par lettres patentes accordées par le roi en 1672.

Le règne du Grand Lully

Lully est à Paris, en 1646, comme «garçon de chambre», pour faire la conversation en italien à Mlle d'Orléans. De mauvaises langues disent même qu'il fut marmiton à son service.

Complétant sa formation musicale, dansant comme un dieu, jouant du violon en virtuose, il devient le «Grand Baladin» de la jeune princesse, et séduit un autre danseur acharné, Louis XIV lui-même, en figurant avec lui dans le *Ballet royal de la nuit* du 23 février 1653.

Le nouveau directeur de l'Académie royale de Musique se brouille alors avec Molière, qui avait brigué le même poste, et s'installe au théâtre du Palais-Royal, quelques mois après la mort du dramaturge. Il éclipse le Parisien Marc-Antoine Charpentier, renommé pour sa musique sacrée et ses divertissements de comédie (*la Comtesse d'Escarbagnas, le Mariage forcé, le Malade imaginaire*), se heurte aux anciens associés de Perrin, et se voit détesté par La Fontaine, Racine, Boileau, Bossuet, ainsi que par une bonne partie du clergé. Il obtient, pour conforter son pouvoir, qu'aucun directeur de théâtre ne puisse engager plus de deux chanteurs et de deux violons. Les autres compositeurs de musique sacrée n'ont droit qu'à un effectif réduit de choristes et d'instrumentistes alors que le grand maître peut déplacer des centaines d'exécutants.

ACADEMIE ROYALE DE MUSIQUE

ACIS ET GALATEE

C'est la gloire et son cortège de haines et de cabales

Tous les ans, avec Quinault comme librettiste et Vigarani comme décorateur, il offre au roi une tragédie en musique : *Alceste, Thésée, Atys, Isis, Proserpine, Persée, Phaéton, Amadis, Roland, Armide et Renaud* sont autant de succès.

Le récitatif français profite alors de la déclamation dramatique, ne rompt pas avec l'action, comme dans les opéras vénitiens ou romains, et mise sur l'unité harmonique. Le morceau de bravoure est soumis au texte du livret, chaque parole doit être comprise et respecte la prosodie, et les chœurs tragiques sont conservés. La tragédie en musique est donc avant tout équilibrée, classique, majestueuse et fidèlement liée à la tragédie théâtrale dont elle se veut l'émanation.

Enivré par sa puissance, Jean-Baptiste Lully brave les plus grands personnages de la Cour et affiche avec éclat une vie privée particulièrement mouvementée jusqu'à ce que la mort de Colbert et de la reine mettent fin à son crédit, en 1683.

La dévote Mme de Maintenon ne peut tolérer en sa Cour un Florentin licencieux, baladin de surcroît, et détourne le roi des spectacles lyriques. On le menace même, quelques mois avant sa mort, de lui retirer le théâtre du Palais-Royal... Puisque sa tragédie, *Armide*, ne peut forcer les portes de Versailles, il doit bien se contenter de l'immense succès que la ville lui ménage. Les ballets, les divertissements et les pastorales comme *Acis et Galatée* tombent en disgrâce car l'heure est à la dévotion. Michel de Lalande aura pour charge de l'illustrer par de savants motets, d'ingénieux contrepoints et de nouvelles combinaisons harmoniques, avant que François Couperin ne vienne, dans ses *Leçons des Ténèbres* (musique pour l'office des jours saints), saisir Louis XIV dans son austère contrition.

L e 16 mars 1653, Lully est nommé compositeur de la musique instrumentale à la Cour du roi et profite de l'entichement du souverain pour les airs italiens. Carriériste, il écrit un motet pour le mariage du roi, dirige la troupe des Petits-Violons, enfin devient surintendant de la musique le 16 mai 1661. C'est à ce moment qu'il francise son nom de Lulli en Lully. Il obtient sans difficulté des lettres de naturalité et épouse la fille d'un compositeur de renom, Michel Lambert (1610-1696). Et, en professionnel génial, il adapte le genre italien au goût français, quitte à combattre les italianistes convaincus.

Corneille, «le plus grand auteur tragique», tragiquement remis en cause

1659 : Corneille, depuis sept ans, s'était attelé, dans sa bonne ville de Rouen, à la traduction versifiée de l'*Imitation de Jésus-Christ*. Désireux sans doute d'effacer le lointain échec de *Pertharite* (1652), il entame une seconde carrière d'auteur dramatique et saisit au vol la proposition de Fouquet d'écrire un *Œdipe*. Il adapte donc Sophocle et Sénèque aux convenances du moment : le héros s'aveugle en coulisses, on invente un prince athénien, Thésée qui, pour l'amour de Dircé, actualise les valeurs du héros (vaillance, honneur, gloire et vertu) en les appliquant à la passion qui l'assiège. Et au nom du libre arbitre, Œdipe, haï des dieux, ne peut être qu'un souverain odieux.

Œdipe est pour Corneille la concession ultime au mythe d'un roi conciliateur. Dans les pièces suivantes, il revient à ses vieux démons. Si *la Toison d'or* (1660), pièce à machines, plaît par son aspect spectaculaire, si *Sertorius* (1662) remet un temps Rome à la mode (mais le héros est bien vieux, et las), si *Sophonisbe* (1663) alimente une querelle esthétique, ce qui ne nuit jamais ni à l'auteur ni au succès, Corneille donne avec *Agésilas* (1666) puis avec *Attila* (1667) des leçons d'économie politique. Mais sur sa route se dresse à présent Racine. En 1670, dans le duel opposant le *Tite et Bérénice* du vieux poète rouennais à la *Bérénice* d'un Racine triomphant, le public préfère les larmes de l'héroïne racinienne à la constance du héros cornélien.

Dans *Suréna* (1674), le héros, en mourant, laisse derrière lui un trône vide : Rodrigue légitimait son roi en soutenant son père, Suréna, assassiné, emporte dans sa tombe l'ancien ordre du monde.

«Qu'en un jour, en un lieu...»

Le goût a changé. La Bruyère résume schématiquement la situation en opposant les œuvres de Corneille («les hommes tels qu'ils devraient être») à celles de Racine («les hommes tels qu'ils sont»). Parallèlement, Boileau, dans son

P laire et instruire, divertir et convaincre sont, depuis bien longtemps, les règles d'or de tout travail littéraire. Mais «le secret est d'abord de plaire et de toucher», écrit Boileau.

Art poétique (1674), et l'abbé d'Aubignac (*Dissertation concernant le poème dramatique*, 1663) composent le nouveau carcan de la tragédie.

Les maîtres mots de l'art sont à présent «nature» (humaine bien sûr), «vraisemblance» (foin des excès baroques) et «convenances» : le réalisme souhaité doit être conforme à des types préétablis définissant étroitement le cadre psychologique. A la spécificité hautaine du héros cornélien succède l'universalité du héros courtisan. Et quand bien même la vérité historique impose des modèles excessifs, on les polit à la mesure du regard des Modernes.

Bien sûr Racine est encore trop cruel, Molière trop vulgaire : quand l'un se tait, après *Phèdre*, et que l'autre meurt sur la scène du *Malade imaginaire*, l'ordre des censeurs mous veut régner sur l'univers des lettres. Mais les «mondains» l'emportent toutefois sur les «doctes» : la grande règle n'est-elle pas de plaire ? Correspondant à l'«honnête homme», s'établit une sorte d'«honnêteté littéraire» dans l'horizon esthétique de ces années 1660-1680. On s'écarte des bienséances pour en venir à la «justesse», on revient à l'imprévu, on décide d'être enjoué, apparemment négligent ou passionné, on recherche un certain naturel en masquant le patient travail de l'artiste : c'est le triomphe du public mondain. C'est donc entre une doctrine assez contraignante et un «goût» plus imprécis qu'évoluent les auteurs de cette période. Nul ne le saura mieux que Molière.

UTILE DULCI

Théoricien du théâtre dans ses *Discours sur le poème dramatique* (1660), Corneille revient sur ses pièces précédentes, les examine et les modifie. Il s'agit pour lui de respecter les règles qu'Aristote définit dans sa *Poétique*, sans toutefois en être prisonnier. C'est l'argument de tout progrès possible. Plutôt qu'à la crainte et à la pitié, il fait appel au pathétique d'admiration comme fin de l'action tragique. Au vraisemblable, trop étroit pour son goût, il substitue le grand sujet historique qui souvent dépasse la vraisemblance par sa vérité tragique. Enfin, il faut plaire, et l'utilité morale ne devient que la conséquence de l'agrément.

LE MISANTROPE

LE BOURGEOIS GENTILHÔME

LES FE

La réputation de Jean-Baptiste Poquelin

En l'hiver 1662, Molière met le feu aux poudres.
Protégé par le roi, officiellement soutenu par
Monsieur, le directeur de la troupe du nouveau
théâtre du Palais-Royal (que le roi lui a attribué
depuis 1660, en alternance avec les Italiens) dédie
sa nouvelle pièce à Henriette d'Angleterre. Quand
l'École des femmes est jouée pour la première fois,
la mode est plutôt aux pièces à grand spectacle et
aux comédies permettant de multiples jeux de
scène. La tragédie est encore en retrait, malgré le
retour de Corneille. Le public des marchands et des
nobles adore les divertissements à machines du
théâtre du Marais, et les Grands Comédiens de
l'Hôtel de Bourgogne acceptent fort mal cet état
de fait. Molière doit exploiter cette situation pour
occuper la scène parisienne.

Jean-Baptiste Poquelin, un comédien follement drôle

On le sait parfois grossier, truculent, «farcesque»,
mais c'est sans doute ce qui le sauva lorsque, au

« Tout comédien
des pieds jusqu'à
la tête», Molière est la
passion même : de
famille respectable (son
père est tapissier du
roi), il avait décidé de
quitter ses études de
droit pour devenir
comédien. Après la
chute de l'Illustre-
Théâtre, à Paris, en
1645, il avait connu,
avec Madeleine Béjart,
la vie de comédien
itinérant puis de petite
troupe protégée.
Bordeaux, Lyon, Rouen
avaient entendu parler
de lui, Corneille était
même devenu un
fervent admirateur
d'une comédienne de
sa troupe, la Du Parc.
Revenu à Paris, en
1658, Molière est
décidé à faire carrière.

GEORGE DANDIN

L'AVARE

Louvre, le 24 octobre 1658, après avoir ennuyé le roi avec une mauvaise version de *Nicomède* de Corneille, il sut le faire rire en jouant *le Docteur amoureux*, «une de ces petites comédies dont il régalait les provinces» ; ce qui lui permit d'avoir la jouissance du théâtre du Petit-Bourbon.

Les Grands Comédiens le détestent pour le triomphe qu'il fit en 1659, avec *les Précieuses ridicules*, pièce en un seul acte, où il tirait parti de la chute d'une mode, la préciosité, et de ses excès grotesques. On connaît sa prodigieuse rapidité lorsqu'il s'agit de répondre à une commande, et de ficeler en quelques jours une comédie comme *les Fâcheux*, pour les fêtes de Vaux (1660, il y tient successivement huit rôles !), ou, plus tard, un divertissement comme *la Princesse d'Élide*, pour les *Plaisirs de l'île enchantée* (1664). Et malgré ses échecs répétés à faire apprécier ses talents de comédien tragique (trop «naturel» et pas assez déclamatoire) ou d'auteur de comédie héroïque (*Dom Garcie de Navarre*, 1661, a un accueil des plus médiocres), on craint cet homme qui sait faire

Passion de la vérité, ridicule et vanité de la recherche du vrai, traque obstinée de l'hypocrisie et du jeu des apparences, enfin représentation du grotesque des passions dévoyées pour l'or ou pour le savoir, les comédies de Molière envisagent avec délice et malice ces situations risibles et fort sérieuses. En quête de vérité, l'Alceste du *Misanthrope* ne peut que constater l'inanité de son désir : seul un désert, hors de la scène, peut accueillir l'obsession du vrai qui l'habite.

PLVS.P EN 1070

Gaultier Garguille polichinelle. Pantalon.
ne.
ottor Grazian Balourd. Scaramouche. Briguelle

Philippin.

Avec sa voix sourde, son «hoquet» régulier qui frise parfois le bégaiement, le jeu qu'il fait avec ses gros sourcils noirs, ses contorsions, sa récitation de profil, la hanche en avant, Molière est le bon élève des farceurs du Pont-Neuf et des Italiens, ses voisins. On dit qu'il démarque agréablement Scaramouche : certains l'en blâment, mais la majorité s'amuse à cette adaptation du comique italien à la scène française.

❝ Il vient le nez au vent,
»Les pieds en parenthèse, et l'épaule en avant,
»Sa perruque qui suit le côté qu'il avance,
»Plus pleine de lauriers qu'un jambon de Mayence,
»Les mains sur les côtés d'un air peu négligé,
»La tête sur le dos comme un mulet chargé,
»Les yeux fort égarés, puis débitant ses rôles,
»D'un hoquet éternel sépare ses paroles... ❞

Portrait à charge de Molière, selon Montfleury, in *l'Impromptu de l'Hôtel de Condé*

Madeleine Béjart (1618-1672) est depuis bien longtemps dans le monde du théâtre. C'est elle qui fascine Jean-Baptiste Poquelin, c'est avec elle, Joseph et Geneviève Béjart qu'il fonde l'Illustre-Théâtre en 1643. Dans la troupe de Molière, elle occupe évidemment une place de choix, au point qu'on la voit, dans *l'Impromptu de Versailles*, discuter d'importance avec l'auteur. Généralement donnée comme bonne actrice, surtout dans la tragédie, elle sait aussi jouer les malicieuses soubrettes. Elle est ici dans le rôle de Madelon des *Précieuses ridicules*.

oublier l'ancienne protection de Fouquet par une allégeance déclarée à la jeune Cour.

Sganarelle...

Enfin, Molière, c'est Sganarelle, un nouveau personnage sur la scène comique, tenant du lourdaud, du raisonneur, du bouffon et du masque italien, rusé et naïf, absurde et «guignolesque». Il se croit beau, parle avec grandeur et volubilité, joue sur tous les tons, triomphe par ses entremises et fait applaudir ses stratagèmes éculés et ses mimiques irrésistibles.

Ainsi, après deux mauvaises saisons, Molière, qui vise à faire de sa troupe, et de lui-même, sinon les premiers comédiens du royaume, en tout cas les plus appréciés, cherche à s'imposer auprès du roi et

P oète de troupe devenu auteur, Molière écrit pour des comédiens qu'il connaît fort bien, et d'abord pour lui-même. Conscient de son large registre, il abandonne le masque des débuts et individualise de plus en plus les types qu'il représente. Mascarille (ci-contre), dans les *Précieuses,* marque un tournant : encore très stylisé, le «masque» italien va s'étoffer...

B ien qu'au faîte de sa gloire, Molière sera toujours attaqué personnellement, en particulier sur sa vie conjugale. Sa femme, Armande Béjart, fille de Madeleine, est trop jeune, trop engageante pour qu'on n'aille pas colporter des ragots...

des spectateurs parisiens. *L'École des maris* (1661) avait été bien plus appréciée que la mise en scène du *Tyran d'Égypte* de Gilbert, alors, va pour *l'École des femmes*...

La querelle de *l'École des femmes*

A priori, rien de bien révolutionnaire. Un barbon et des jeunes gens, on ridiculise le premier, on fait triompher les seconds : structure héritée de la tradition latine et de la comédie italienne. Thème banal de la «précaution inutile», de Scarron à Beaumarchais... Et un mélange heureux entre comique grivois, quiproquos «farcesques» et digressions morales.

Pourtant le scandale perdure de 1662 à 1664. La troupe de l'Hôtel de Bourgogne hait celle du Palais-

L'ESCOLE DES FEMMES·

De plus en plus, Molière affronte la colère, l'étudie, la met en scène, la joue dans ses pièces. Il est lui-même considéré comme un atrabilaire à l'intérieur de sa propre troupe. Avec Arnolphe dans *l'École des femmes*, puis Alceste dans *le Misanthrope*, il peut jouer la colère pour de bon, énorme, pour elle-même...

Royal. Et Molière la ridiculise en imitant dans les salons Messieurs les Grands Comédiens. Éclats de rire et petites haines rentrées, car le succès du «baron de la Crasse» muselle un temps les envieux.

Molière pousse son avantage. La *Critique de l'École des femmes* (1663) répond aux détracteurs, inspirés en sous-main par Corneille, que «la seule règle est de plaire»... En dédicaçant la *Critique* à la dévote reine mère, Molière déplace la polémique du terrain de l'immoralité à celui des règlements de compte professionnels. *L'Impromptu de Versailles* met le roi de son côté.

La querelle de *Tartuffe*

12 Mai 1664 : Molière donne les trois premiers actes d'une comédie mettant en scène un escroc de la foi. Très vite,

Tartuffe.

la Compagnie du Saint-Sacrement, groupe de pression dévot lié à Anne d'Autriche, et l'archevêque de Paris, Hardouin de Péréfixe, portent le scandale devant les autorités.

Hésitations du roi, qui ne veut pas encore contrarier sa mère, et qui pourtant apprécie par principe une pièce honnie par un parti ultramontain (proche des thèses papales, parfois contre le roi), qu'il aimerait réduire.

Anne d'Autriche meurt et Molière en profite pour jouer au Palais-Royal la seconde version de sa pièce, *l'Imposteur*. Le lendemain, 6 août 1667, le président de Lamoignon interdit la pièce, et le 11, l'archevêque interdit même de la lire. Poquelin va jouer chez Condé, à Chantilly, rédige un placet implorant le soutien royal... La pièce définitive ne peut être jouée que le 5 février 1669. Triomphe et grincements de dents. On cherche — et on trouve — des clefs au personnage.

Elmire.

on.

« Voici une comédie dont on a fait beaucoup de bruit, qui a été longtemps persécutée, et les gens qu'elle joue ont bien fait voir qu'ils étaient plus puissants en France que tous ceux que j'ai joués jusques ici. Les marquis, les précieuses, les cocus et les médecins ont souffert doucement qu'on les ait représentés, et ils ont fait semblant de se divertir, avec tout le monde, des peintures que l'on a faites d'eux; mais les hypocrites n'ont point entendu raillerie; ils se sont effarouchés d'abord, et ont trouvé étrange que j'eusse la hardiesse de jouer leurs grimaces et de vouloir décrier un métier dont tant d'honnêtes gens se mêlent. C'est un crime qu'ils ne sauraient me pardonner; et ils se sont tous armés contre ma comédie avec une fureur épouvantable. Ils n'ont eu garde de l'attaquer par le côté qui les a blessés : ils sont trop politiques pour cela, et savent trop bien vivre pour découvrir le fond de leur âme. »

Préface de *Tartuffe*, mars 1669

On s'aperçoit que Molière n'attaque pas seulement
la Compagnie du Saint-Sacrement, mais tous les
hypocrites de la dévotion inspirés par la Contre-
Réforme. La haine monte contre un auteur qui n'a
pour rempart que le roi. «Nous vivons sous un
Prince ennemi de la fraude», dit-on à la dernière
scène, quand l'envoyé d'un «*rex ex machina*» vient
confondre l'imposteur.

Dom Juan l'irrégulier

Entre 1664 et 1669 il faut bien vivre : Molière rédige
rapidement en prose *Dom Juan ou le Festin de
pierre.*

Scandale littéraire : pas d'unités (ni de temps, ni
de lieu, ni d'action). Scandale moral : un héros jeune
et séduisant fait profession d'athéisme («Je crois que
deux et deux sont quatre...»), tandis que la foi est
défendue par un Sganarelle lourd, pataud et
bégayant (Molière lui-même, bien sûr); une fin
ostensiblement artificielle où le «méchant»
succombe au courroux d'une statue passablement
ridicule qui porte la volonté du Ciel... *Dom Juan*
est immédiatement censuré.

Il faut bien vivre, il faut bien mourir

L'hypocrisie triomphe ? On l'attrape par le biais de
ces prêtres laïques que sont les médecins, crispés
sur des pratiques qui n'ont rien de scientifique. De
l'Amour médecin (1665) au *Malade imaginaire*
(1673) en passant par *le Médecin malgré lui* (1666),
Molière enfonce le clou.

En cette même année 1666, c'est *le Misanthrope* :
parallèlement aux bouffonneries, Molière donne
dans la comédie réglée. Faute de pouvoir frapper de
front les travers sociaux, il passe par l'analyse fine
de «types» aux caractères complexes. Alceste est
certes ridicule, mais parce qu'il s'accroche à une
idée désuète du bien. Il y a de plus en plus de
douleur dans le rire. On savait bien que la société
est mensonge, mais où est la vérité ? N'est-elle pas
relative, peut-être même absente ? La passion
d'Alceste, Christ de l'humanité, est la passion de
cette vérité enfouie sous les usages. La vaine
obsession du vrai.

Les succès se suivent. Ils sont tout autant les produits du génie que ceux de l'impérieuse nécessité de manger : Molière doit alimenter sa troupe. *George Dandin* et *Amphitryon* compensent à peine l'échec de *l'Avare*, en 1668. Molière se tourne vers la comédie-ballet :

« Quoi que puisse dire Aristote, et toute la Philosophie, il n'est rien d'égal au tabac : c'est la passion des honnêtes gens, et qui vit sans tabac n'est pas digne de vivre.» Dès la première phrase de *Dom Juan*, Molière abat son jeu. En mettant dans la bouche de Sganarelle cet éloge du tabac, en enseigne du texte, il vante une mode que les dévots réprouvent, mais, en plus, il affirme hautement que ce qui donne du plaisir est moral et qu'en outre, ce qui donne du plaisir, «quoi qu'en disent Aristote et toute la Philosophie», est la matière, elle-même... Lier matière, morale et plaisir, est évidemment, à l'époque, une immense provocation !

Monsieur de Pourceaugnac (1669), *les Amants magnifiques* (1670), *le Bourgeois gentilhomme* (1670), *Psyché* (1671), *le Malade imaginaire* (1672). C'est au milieu des chants et des danses que Molière passe de la vie à la mort.

La légende du comédien

Mort légendaire à l'issue de la quatrième représentation du *Malade imaginaire*, le 17 février 1673. Cachant mal ses vraies souffrances et sa toux caverneuse sous le masque d'Argan, il termine la pièce, rentre chez lui et meurt sans le secours

❝ Trois et deux font cinq, et cinq font dix, et dix font vingt. Trois et deux font cinq. «Plus, du vingt-quatrième, un petit clystère insinuatif, préparatif et rémolliant pour amollir, humecter, et rafraîchir les entrailles de Monsieur.» ❞
Premiers mots d'Argan, *le Malade imaginaire*

Troisième Journée.
Le Malade imaginaire, Comédie représentée
dans le Jardin de Versailles devant la Grotte.

d'aucun des prêtres qu'on avait appelés à son chevet. Mort d'autant plus légendaire qu'elle montre l'acharnement des religieux, refusant l'inhumation en terre chrétienne au comédien coupable de son art. L'intervention du roi évitera le scandale. Dans la nuit du 21 au 22 février, sept à huit cents personnes et un cortège de pauvres gens, auxquels Armande fera distribuer mille livres, suivent le cercueil jusqu'au cimetière Saint-Joseph. Quatre prêtres portent le corps alors que des dizaines d'autres font circuler, dans la ville, d'ignobles épitaphes vouant l'impie aux flammes de l'enfer.

F évrier 1673. Le Carnaval approche. C'est l'époque des grosses recettes, il faut frapper un grand coup avant la fermeture annuelle des théâtres, pour Pâques. *Le Malade imaginaire* est monté à grands frais, suivi d'une grandiose cérémonie, ballet où des danseurs en robe de médecin chantent l'intronisation d'Argan : «dignus, dignus est entrare, in nostro docto corpore»... Molière ravit son public en s'étouffant de rage, en toussant comme un damné, en jouant le malade avec drôlerie et ardeur sur son fauteuil. Et lorsque le quatrième jour, l'ultime divertissement s'achève, la frontière disparaît entre la comédie et le réel. Et implacablement, la toux d'Argan s'empare de Molière.

Dies tertius.
Doktrinoson, seu Æger imaginarius, Comædia acta in Hortis Versaliarum ad fores Cryptæ.

C'est la guerre au théâtre.
Jean Racine, auteur bien en cour,
tragique respecté, donne sa dernière
pièce en l'Hôtel de Bourgogne.
La Champmeslé joue *Phèdre*, mais les
adversaires de Racine sont là. Dans
deux jours, ils feront un triomphe
à la *Phèdre* de Pradon...

CHAPITRE III
LES FASTES

❝ FASTE, quelquefois
se prend en bonne part
et signifie simplement
Magnificence... Le *faste*
de la Cour de France
montre la puissance de
son Roy... ❞

Furetière,
Dictionnaire universel

La querelle de *Phèdre* : Racine face à la cabale

Le sonnet de la cabale des Nevers met le feu aux poudres :

«Dans un fauteuil doré, Phèdre, tremblante et
[blême,
Dit des vers où d'abord personne n'entend rien.
La nourrice lui fait un sermon fort chrétien
Contre l'affreux dessein d'attenter à soi-même.
Hippolyte la hait presque autant qu'elle l'aime.
Rien ne change son air, ni son chaste maintien.
La nourrice l'accuse ; elle s'en punit bien.
Thésée a pour son fils une rigueur extrême.
Une grosse Aricie au cuir noir, aux crins blonds,
N'est là que pour montrer deux énormes tétons
Que, malgré sa froideur, Hippolyte idolâtre.
Il meurt enfin, traîné par des coursiers ingrats,
Et Phèdre, après avoir pris de la mort-aux-rats,
Vient en se confessant mourir sur le théâtre.»

Racine est déjà le Grand Racine, auréolé des succès de *Bajazet* (1671) et de *Mithridate* (1672), redouté depuis les querelles qu'il avait menées avec éclat depuis *Andromaque* (1667), rival de Molière avec *les Plaideurs* (1668), respecté par les doctes depuis *Britannicus* (1669), fort prisé à la Cour où il a détrôné Corneille qui avait eu la mauvaise idée de se placer sur le même terrain que lui lors des deux *Bérénice* (1670). Depuis le triomphe d'*Iphigénie* (1674), il s'est tu, laissant la place au déferlement de la mode des opéras de Lully et de Quinault qui emplissent le théâtre du Palais-Royal, et des «pièces à machines» de Thomas Corneille qu'on monte rue Guénégaud.

Retraite, ou gestion calme et sereine d'un succès ? Racine fait sa cour, paraît là où il faut être, publie ses *Œuvres complètes*, en modifiant les préfaces des pièces précédentes ou en les écrivant, soucieux de se donner une image

À seize ans, en 1655, Racine rejoint, à Port-Royal des Champs, sa grand-mère et sa tante, qui s'y étaient retirées. Lancelot, Nicole, Antoine Le Maître, sont ses enseignants, le jansénisme est sa foi. Une foi menacée, mais pugnace pendant la lutte des *Provinciales*, même si la lecture des tragiques grecs semble plus l'intéresser que les textes pascaliens. Besoin du Monde ? Carriérisme ? Désaccord philosophique et religieux ? Racine va rompre avec ses maîtres, revenir vers eux, critiquer leur dogmatisme, prendre ses distances, puis revenir encore, oscillant toujours entre le reniement et l'allégeance.

J. RACINE. 1673.

d'«auteur» plus que de «poète». Un écrivain soucieux de morale, au-dessus de la mêlée littéraire, bien en cour, renommé et conscient de sa place, un homme de trente-sept ans pour qui la littérature est un moyen d'aller plus loin dans la course aux honneurs. Un auteur qui souhaite réconcilier la tragédie avec «quantité de personnes célèbres pour leur piété et leur doctrine».

PHÈDRE
et
HIPPOLYTE
Par Mr Racine.

Commandée par Monsieur, frère du roi, pour orner son château de Saint-Cloud, cette assemblée des dieux de Versailles, peinte par Nocret, met en scène la famille olympienne du moment, celle de Versailles. Autour de Louis XIV, en Apollon au sceptre de Soleil (en haut et à droite), la Grande Mademoiselle (au-dessus de lui) est Diane chasseresse assimilée à la Lune. Elle désigne de la main la reine Marie-Thérèse, qui n'est pas vêtue à l'antique, mais figure néanmoins Junon (un paon l'accompagne). A côté d'elle, le Dauphin et sa sœur. Les trois Grâces, filles de Gaston d'Orléans, oncle du roi, sont représentées au fond du tableau, tandis que Cybèle, la mère des dieux, et mère de Louis XIV et de Monsieur (Anne d'Autriche), est au centre. Autour de Monsieur, Étoile de point du jour qui annonce le lever du soleil, Madame, Henriette de France, figure le Printemps, ou Flore. Leur fille porte deux ailes de papillon, comme Zéphyr, le vent qui annonce le printemps. Leurs deux fils, angelots que la mort emportera bien vite, sont au premier plan.

MITHRIDATE.   BÉRÉNICE.

Après avoir aimé la Du Parc, et l'avoir détournée de la troupe de Molière en 1666 (deux ans avant sa mort), Racine, jeune et glorieux, affiche une liaison avec la plus grande tragédienne de l'époque, la Champmeslé (à droite), qui fut Bérénice, Monime, Iphigénie et Phèdre.

Les forces en présence

Alors, qu'est-ce qu'un Pradon, même soutenu par une cabale menée par la duchesse de Bouillon, nièce de Mazarin, et son frère, le duc de Nevers, face au protégé de la Montespan, de Condé, de Colbert et du roi ? L'incident, devenu querelle, puis dangereuse bataille, éclate en janvier 1677. Les deux cabales sont prêtes : Racine en l'Hôtel de Bourgogne, temple de la tragédie, fait jouer *Phèdre et Hippolyte,* le 1er janvier 1677, avec la Champmeslé dans le rôle principal, et deux jours plus tard, le théâtre Guénégaud joue la *Phèdre* de Pradon.

Le succès de Pradon est immédiat, mais de courte durée. La tragédie de Racine est d'abord distancée malgré l'intervention du Grand Condé, venu tout exprès à la deuxième représentation, accompagné d'une suite fort nombreuse. Mais au mois de mars, lors de la publication des deux textes, la cause est entendue, Racine triomphe.

Fin de la parenthèse tragique

En neuf tragédies (et surtout sept, *la Thébaïde ou les Frères ennemis* de 1664 — qui marque l'entrée de Racine sur la scène, avec une esthétique assez

cornélienne — et *Alexandre le Grand* de 1665
— qui fait acte d'allégeance au roi et qui flatte sa
sensibilité — n'étant que des coups d'essai ou des
premiers pas très politiques), Racine a changé le
visage de la tragédie, a ému le public mondain, a
plu au roi, a ébranlé les «cornéliens» et triomphe.

Que peut-il demander de plus ?

Académicien (depuis janvier 1673), auteur à
succès (le prix élevé de ses ouvrages ne décourage
pas les éventuels acheteurs, et ne fait que lui
rapporter un peu plus d'argent...), Racine est un
homme riche et installé. Plus de comédiennes pour
maîtresses, la Du Parc est morte (on murmure
beaucoup à ce sujet
pendant l'affaire
des Poisons...), et
la Champmeslé
(avec laquelle il
vient de rompre)
a cédé la place à

❝ Que tu sais bien,
Racine, à l'aide d'un
acteur,
»Émouvoir, étonner,
ravir un spectateur !
»Jamais Iphigénie en
Aulide immolée,
»N'a coûté tant de
pleurs à la Grèce
assemblée,
»Que dans l'heureux
spectacle à nos yeux
étalé,
»Elle a fait sous son
nom verser la
Champmeslé.
»Ne crois pas toutefois,
par tes savants
ouvrages
»Entraînant tous les
cœurs gagner tous les
suffrages.
»Sitôt que d'Apollon un
chemin inspiré
»Trouve loin du
vulgaire un chemin
ignoré,
»En cent lieux contre
lui les cabales
s'amassent,
»Les rivaux obscurcis
autour de lui coassent,
»Et son trop de lumière
importunant les yeux,
»De ses propres amis
lui fait des envieux. ❞
Boileau,
Épître VII, 1677

Catherine de Romanet, fille orpheline d'un trésorier de France du bureau des Finances d'Amiens, parangon d'une bourgeoisie installée anobli sous les charges, très en faveur auprès du roi. Riche grâce à sa femme et à ses revenus, Racine reçoit aussi une pension du roi, des gratifications extraordinaires, ponctuelles mais conséquentes, et devient, par la grâce de Colbert et du souverain, trésorier de France à Moulins (sans travail effectif, et même sans présence ; il en accepte volontiers les profits).

Sa réputation de grand auteur étant acquise, son état de courtisan et de mondain n'étant plus discutable, il en revient aux odes qui lui avaient mis le pied à l'étrier, en 1663-1664 (*la Nymphe de la Seine*, l'*Ode pour la convalescence du roi* et *la Renommée aux muses*).

Les Belles-Lettres doivent maintenant célébrer la puissance du souverain, la parenthèse théâtrale se ferme, le roi des odes revient en scène et compose, avec son compère Boileau-Despréaux un panégyrique à la louange du roi, pièce probatoire qui leur permet de devenir historiographes. Racine quitte le théâtre pour rendre compte du règne, sinon avec entrain, du moins avec un bonheur matériel qu'aucun de ses confrères poètes n'ose même envisager !...

Racine et Boileau élaborent le mythe des temps modernes, celui du Grand Siècle, dédié à Louis, maître des armes, des hommes, des arts et des lois.

Les académies et les salons, ou : que fait-on à la ville ?

Le lundi, de cinq heures à sept heures, dix-huit personnes, parmi les plus prisées du domaine des lettres se réunissent chez le président de Lamoignon. Devant Boileau-Despréaux, l'abbé Fleury, Guy Patin et son fils, le père Rapin, entre autres présents, Pélisson lit une dissertation pour ouvrir la séance. Le thème est lancé : «Faut-il préférer Homère à Virgile ?», «Qu'est-ce que l'Histoire ? Que sont les historiens ?», «La raison cartésienne et la doctrine chrétienne condamnent-elles les abus du pouvoir ?», etc. Entre deux périodes oratoires, on s'arrête pour boire un verre, sourire au

" Quand le soleil est las, et qu'il a fait sa tâche,
»Il descend chez Thétis, et prend quelque relâche :
»C'est ainsi que Louis s'en va se délasser.»
Poursuivant toujours plus l'assimilation à Apollon et au soleil, chantée par La Fontaine, Louis XIV fait construire la grotte de Thétis et y entraîne ses courtisans.

maître des lieux, et risquer une pique, toujours très appréciée en ces lieux, contre le pouvoir de Colbert.

Le premier jour de chaque mois, l'abbé d'Aubignac trône dans l'académie de Monseigneur le Dauphin, qu'on appelle aussi Académie des Belles-Lettres ou Académie allégorique... Là, on tranche de l'éloquence et de la poésie, sans fard, sans pitié, et selon les règles.

Quitte à se fâcher avec quelques-uns, D'Aubignac poursuit son devoir : établir une loi aristotélicienne pour les lettres. Dans le même esprit, l'un des présents doit, au beau milieu de la réunion, entamer une harangue bien sentie, composée avec soin et capable de déboucher sur un débat naturellement fondamental.

La politique de prestige de Louis XIV et de Colbert porte ses fruits. Les artistes sont de plus en plus attirés par une Cour brillante et pleine de promesses. Mais, en ville, les salons ne disparaissent pas, ils se banalisent.

La mode est aux académies philosophiques et scientifiques. Gassendistes et cartésiens s'affrontent, on évoque Aristote, Hobbes, on revient sur la Raison, on affirme que l'expérience est nécessaire. Les physiciens entrent en force et recommandent d'assister aux conférences et aux séances d'expérimentation scientifique qui se tiennent régulièrement à Paris dans les lieux les plus divers. Les femmes adorent, en particulier, les conférences de Richesource et de Lesclache, ces nouveaux conférenciers mondains qui lient avec brio les sujets de morale aux découvertes des sciences...

De la vie mondaine à la vie de Cour : l'émergence d'une nouvelle société

Un public mondain (qui regroupe en fait environ trois mille personnes à Paris et le double en province), dominé par une noblesse reine de ces réunions imitée par les bourgeois en mal de reconnaissance, naît ainsi.

Entre les jeux, les danses et les lectures, au milieu des intrigues amoureuses et des luttes politiques, les écrivains tâchent d'avoir leur place, quitte à abandonner certaines de leurs prétentions «doctes» pour plaire aux maîtresses de ces lieux. Car les femmes président, sans conteste.

On s'amuse à constater avec Gabriel Gilbert, l'auteur des *Intrigues amoureuses*, jouées en 1666, qu'une femme du monde sort chaque soir sans son mari, passe la nuit dans les salons de son choix, y joue, y discute, se fait ramener dans le carrosse de son meilleur ami, et se lève à midi.

Il s'agit de savoir tourner un compliment, un madrigal, de jouer à composer des impromptus, des sonnets en bouts-rimés, de donner son avis, si possible circonstancié, sur une pièce de poésie ou de théâtre qu'on vient de lire en avant-première, et d'entrer dans l'univers symbolique que les principaux assistants ont imposé depuis longtemps.

Les gens de lettres n'ont plus besoin, pour afficher leur statut, de s'organiser en de solides clans protégés par le renom d'une femme en vue. Les maîtresses de maison, nouvelles «femmes savantes», férues de sciences et plus particulièrement d'astronomie, accueillent chaque semaine de beaux esprits qui se trouvent être de leurs amis, voilà tout.

Mais, rapidement, la galanterie se transforme et s'estompe. Les bals masqués occupent de moins en moins les hommes qui ne voient qu'au travers de la Cour, des jeux de paume et des officines de jeux, les signes de leur mondanité. Les grands salons s'affaiblissent à mesure que leurs maîtres et leurs maîtresses épousent ce nouvel état d'esprit ou se réfugient dans la piété, comme Mme de La Sablière, vers 1680, ou comme le duc de Nevers, épousant les thèses quiétistes.

«C'est être véritablement honnête homme que de vouloir être toujours exposé à la vue des honnêtes gens.» (La Rochefoucauld, *Maximes*, 206)

Entre la ville et la Cour, les salons, entre deux jeux et deux anecdotes bien contées, constituent un nouveau type d'homme qui s'écarte sensiblement du modèle aristocratique encore présent pendant la Fronde. Le héros n'a plus cours en ces années; place à l'honnête homme. Utile à sa patrie, agréable à tous, reconnu tel par ses pairs, il s'acharne à

C'est à la Cour qu'a lieu la consécration du talent, grâce au roi, au ministre, ou à la favorite... Cette officialisation des talents génère un conformisme, et bientôt, en 1679, un ennui, qui font refluer vers la ville les esprits enjoués – ou libertins. Les salons ne sont plus dès lors les lieux de la «reconnaissance», mais de la résistance, de l'irrespect circonspect.

découvrir la vertu et à la faire partager en société. La perfection du langage est importante, c'est le plus sûr moyen d'être aimé et bien compris dans la mesure où elle est le signe d'un esprit fin, bien réglé, et d'un cœur sincère et droit. La franchise et la simplicité sont donc recherchées bien plus que l'emphase. L'honnête homme n'est pas le cynique courtisan, mais le modèle d'une nouvelle conception de la vie sociale acclimatant les valeurs de l'héroïsme : la faiblesse humaine est enfin prise en compte, et c'est contre elle qu'il combat.

Dans cette atmosphère évolue le duc de La Rochefoucauld, ancien frondeur et ami de Mme de Sévigné. Surnommé «la Franchise» pendant la Fronde, il a alors la réputation d'être le type même du féodal fougueux, hautain, voire écervelé. Pardonné de sa rébellion, il devient le héros des conversations après avoir été celui des barricades. Son œuvre témoigne de ces deux tendances : d'un côté les *Mémoires*, publiés contre son gré en 1662, et sources de haines multiples — les anciens

Depuis la Fronde, la noblesse ne peut plus avoir un véritable rôle politique. La monarchie absolue lui interdit autant la rébellion que le partage du pouvoir. Il lui faut alors un refuge littéraire et éthique, une nouvelle morale, celle de l'honnêteté, adaptation – et dévalorisation – des critères héroïques à un monde qui a bien changé. Le héros est déconstruit, et devient autre; cette fois, il doit vivre à la cour et dans les salons...

frondeurs n'apprécient pas, en ce moment difficile, qu'on révèle leurs faits et gestes, et particulièrement qu'on énonce des jugements à leur égard —, d'un autre côté, les *Maximes*, en préparation dès 1658, publiées de 1665 à 1678, véritable bréviaire du féodal devenu honnête homme.

La princesse de Clèves devait-elle avouer ?

Mlle de Chartres épouse le vieux prince de Clèves, tombe amoureuse du beau Nemours, du moins le dit-elle à son mari, devant son amant (au sens classique : qui aime et est aimé) caché pendant cette scène capitale et quelque peu scabreuse. De cet aveu, Clèves mourra et Nemours souffrira, car la princesse, veuve, choisit d'entrer au couvent, par une combinaison étrange mêlant haine des hommes, remords, lassitude et peut-être cruauté...

Romans «sérieux», avec Mme de La Fayette, et nouvelles, mettent toujours en scène de grands personnages. Les bourgeois n'ont leur place que dans les romans comiques.

Mais qu'est-ce qui a bien pu la pousser à avouer à son mari un amour somme toute fort platonique (conforme en cela au personnage, mais peu aux mœurs de l'époque) ? Devait-elle avouer, demande à ses lecteurs *le Mercure galant* ? Et les polémiques de faire rage en ce printemps 1678. Aveu «extravagant», dit Bussy-Rabutin. Quelle «jolie confidence», se moquent Mmes de Sévigné et de Montmorency. Quel manque de vraisemblance : l'héroïne est décidément «la prude la plus coquette et la coquette la plus prude que l'on eût jamais vue». En fait de caractères, le critère de la vraisemblance hérité d'Aristote impose l'unité de mœurs, non des ambiguïtés coupables. Que ne prenait-elle un amant sans en référer à son mari ?

Du grand roman à la courte nouvelle

Mme de la Fayette n'en était pas à son coup d'essai. Avec *la Princesse de Montpensier* (1662), puis *Zaïde* (1670-1671), elle avait déjà imposé un genre nouveau, celui de la nouvelle à motif historique, étape primordiale entre le «grand» roman proche de l'épopée, souvent mêlé de vers, et le réalisme psychologique de la fin du siècle. *La Princesse de Clèves* conserve un cadre historique (l'époque d'Henri II) sur lequel se greffent des mœurs contemporaines. Il n'y a pas d'issue pour l'héroïne déchirée entre passion et amour-propre (on a fort suspecté La Rochefoucauld d'avoir prêté la main au roman).

Ce rejet du roman héroïque n'est pourtant pas nouveau. On lit encore les grandes machines romanesques de La Calprenède (*Pharamond*, 1661-1670), de Georges de Scudéry (*Almahide*, 1660-1663), mais on s'intéresse déjà aux *Nouvelles françaises* de Segrais (1657) ou au *Dom Carlos* de Saint-Réal (1672). Parallèlement l'épopée n'est plus que pour mémoire la référence noble, et *la Pucelle* de Chapelain (1656) sombre dans le ridicule et dans l'oubli.

L'héroïsme et le romanesque se jouent à présent à la Cour — en simulation —, dans un univers de danseurs mimant les gestes des héros de papier.

F uretière et son *Roman bourgeois* constituent le chaînon qui relie le récit burlesque au roman de mœurs du XVIIIe siècle.

Du burlesque au réalisme comique

Parallèlement, le roman parodique, comique et burlesque, est lui aussi en déclin. Privé de sa source, ce genre ne pouvait que profondément ressentir la disgrâce de son aîné. Dans ce climat, *le Roman bourgeois* (1666) de Furetière demeure isolé, en jouant résolument la carte du réalisme comique. Furetière y décrit plaisamment le monde de la basoche — les gens du droit donc — qui se plaît à rêver sur des textes qui ne sont plus de mode. Dans les «académies bourgeoises», les personnages se mêlent de littérature, découvrent Corneille, jouent aux précieux, singent Astrée ou Céladon, et vont jusqu'à inclure dans leurs vies «médiocres» des épisodes romanesques tirés des romans les plus en vue quelques décennies plus tôt : enlèvements ridicules, fuites éperdues, amours merveilleuses plongeant dans le sordide, la réalité est à la fois parodique et quotidienne. Fidèlement transcrite, parfois par des descriptions, des listes ou des catalogues, elle reste fondamentalement drôle, même si cette drôlerie est amère. Il est trop tôt pour voir apparaître dans un roman sérieux des individus venus de la petite bourgeoisie : la tradition de Scarron et de Sorel pèse encore de tout son poids. Furetière n'en constitue pas moins un chaînon qui permet de lier le récit burlesque au roman de mœurs du siècle suivant.

Roman et passion tragique : la religieuse portugaise

Du plus profond de son couvent, Marianne, une religieuse portugaise, séduite puis abandonnée, envoie des lettres à son amant absent, bel officier français silencieux. Elle s'adresse à sa passion, à son amour, soumis au destin, auteur de tous ses maux comme de tout son bonheur. Soudain, les lecteurs entendent un cri tragique directement contemporain auquel ils sont sommés de croire, un cri «réel», déchirant, qui déplace les critères de la vraisemblance dans le roman.

Ces *Lettres* font date en installant dans le récit crédible, actuel, le tragique du théâtre. Les autres «relations véritables» de cette même période s'essouffleront à rendre vraisemblables des personnages venus trop étroitement des romans héroïques, des récits comiques ou des mémoires... sans génie, ce genre a ses limites.

Mais le roman du présent, ou du passé très proche, c'est aussi les mémoires, qu'ils soient fictifs, comme chez Mᵐᵉ de Villedieu (*les Désordres de l'amour*, 1675) ou bien réels, comme ceux du cardinal de Retz ou de La Rochefoucauld. Parfois même, certains s'approchent du journalisme, avec plus ou moins de succès, lorsqu'ils mettent en scène, comme Boursault dans *le Marquis de Chavigny* (1670), des événements directement contemporains.

Les *Mémoires* d'un frondeur vaincu devenu héros de son roman

Si l'on dit que La Rochefoucauld a été frondeur pour l'amour de Mᵐᵉ de Longueville, ce qui le rend, évidemment, excusable, il n'en est pas de même pour le cardinal de Retz. Grand seigneur, fils cadet d'une grande famille, prélat par devoir plus que par

❝ Considère, mon Amour, jusqu'à quel excès tu as manqué de prévoyance. Ah ! Malheureux ! tu as été trahi, et tu m'as trahie par des espérances trompeuses. Une passion sur laquelle tu avais fait tant de projets de plaisirs ne te cause présentement qu'un mortel désespoir, qui ne peut être comparé qu'à la cruauté de l'absence qui le cause. ❞

Lettres de la religieuse portugaise, 1669

vocation, ambitieux, féru de théories politiques et très désireux de les appliquer lui-même, Paul de Gondi occupe, au sein de la Fronde, une place qui le discrédite à tout jamais auprès du futur Louis XIV.

En 1670-1675, la Fronde est encore toute proche, et malgré la reprise en mains du pouvoir par le roi, les esprits sont toujours très échauffés lorsqu'il est question des années 1650... Dans les salons et les cabinets de lecture, on lit donc ces *Mémoires*, adressés en principe à une dame (Mme de Sévigné de son propre aveu), pour les révélations et les polémiques que Retz ne manque pas d'y inclure.

Paul de Gondi, conspirateur et politique déchu, s'exprime pour sa défense, et se fait héros, sans

Les salons génèrent de l'ordre. La langue s'y épure et se règle. Et simultanément, ils sont des contre-Cour, où les frondeurs d'hier pérorent avec les jansénistes d'aujourd'hui, des lieux d'opposition et de désordre, où se formulent peu à peu les Lumières de demain.

Le Portrait de la Voisin

❝ A cinq heures, on la lia et, avec une torche à la main, elle parut dans le tombereau, habillée de blanc; c'est une sorte d'habit pour être brûlée. Elle était fort rouge, et l'on voyait qu'elle repoussait le confesseur et le crucifix avec violence. Nous la vîmes passer à l'Hôtel de Sully, Mme de Chaulnes et Mme de Sully, la Comtesse, et bien d'autres. A Notre-Dame, elle ne voulut jamais prononcer l'amende honorable et, à la Grève, elle se défendit autant qu'elle put de sortir du tombereau. On l'en tira de force. On la mit sur le bûcher, assise et liée avec du fer. On la couvrit de paille. Elle jura beaucoup, elle repoussa la paille cinq ou six fois, mais enfin le feu s'augmenta et on l'a perdue de vue, et ses cendres sont en l'air présentement. Voilà la mort de Mme Voisin, célèbre par ses crimes et par son impiété. On croit qu'il y aura de grandes suites qui nous surprendront. ❞

Mme de Sévigné
à Mme de Grignan,
23 février 1680

réserves majeures, bien décidé à séduire sa lectrice, et, à travers elle, la postérité. Il vit des aventures extraordinaires, parsemées d'embûches romanesques, s'inspirant autant des *Commentaires* de César que de *l'Astrée* d'Honoré d'Urfé... Les hommes qui l'entourent sont autant de portraits et de faire-valoir qui rehaussent sa gloire. Avec un ton aimable (destinataire oblige), une humilité de façade (la stratégie la rend nécessaire), des phrases courtes parsemées de sentences et de jugements généralisant sur les hommes et leurs passions (le genre les prescrit), les «événements» resurgissent dans les esprits, cette fois sous la bannière de l'histoire vécue.

Enfin, l'histoire du présent, ce sont aussi les lettres que les individus s'envoient, grâce au développement sans précédent des services de messagerie. Conscients qu'ils communiquent des informations, les expéditeurs se sentent parfois des auteurs à part entière. Les lettres, encore rares, seront lues, relues, partagées, et, pourquoi pas, publiées... La lettre commune s'oriente alors consciemment ou non vers le roman par lettres.

L'affaire des Poisons émeut la Cour et la ville

De 1670 à 1680, tout Paris est à l'affaire des Poisons : la marquise de Brinvilliers a en effet révélé, sous la torture, que bien des grands noms ont été intéressés par les excellentes «poudres de succession»... On parle des nièces de Mazarin, de la comtesse de Gramont, de Mme de Polignac, du maréchal de Luxembourg, de Racine, de Mme de Montespan. On va même jusqu'à dire que la mort de

Madame, Henriette d'Angleterre (1670), que le cher Bossuet attribuait au Destin, est plus suspecte qu'il n'y paraît... Une commission spéciale, nommée «Chambre Ardente» ou «Cour des Poisons», a été constituée et trente-quatre condamnations à mort ont suivi. Le scandale touche la Cour et l'on renonce à faire subir la question à la Voisin de peur de la voir faire des révélations gênantes. Les «grandes suites», dont parle Mme de Sévigné, sont ainsi empêchées et l'enquête publique est clôturée, pour la plus grande sûreté du royaume.

En 1672, la police découvre que la marquise de Brinvilliers s'était débarrassée de son père et de ses deux frères à l'aide d'un poison à base d'arsenic et de bave de crapaud... La «poudre de succession» n'avait épargné que le mari de la marquise qui prenait d'infinies précautions... Les lettres de la Brinvilliers sont accablantes, et sa noblesse ne la sauvera pas du bûcher. La Reynie, lieutenant de police de Paris, remonte les filières et reconstitue le réseau parmi les gens de la bonne société. On apprend ainsi que la Voisin, alias Catherine Deshayes, sorcière bien connue à Paris, fournissait messes noires, philtres, maléfices, avortements et sortilèges multiples aux plus hauts personnages de la Cour. Des centaines de noms circulent, des accusations fusent sous la torture, la calomnie s'empare de tous et de tout...

Les lettres, relais des gazettes et des conversations de salon

On le voit, les lettres, loin de se cantonner dans l'art de «dire des bagatelles», comme l'affirmait auparavant Mlle de Scudéry, s'occupent de l'actualité la plus... brûlante, au même titre, et peut-être plus encore que les gazettes. Tout en distance, elles présentent des événements graves ou des détails amusants, des anecdotes ou des faits majeurs, avec le même air futile, un peu désabusé, légèrement amusé par les réalités du temps. Il s'agit en même temps d'informer et de plaire, et pas seulement à leur destinataire. Les lettres, qui seront dans certains cas publiées au siècle suivant dans des recueils, sont conservées, lues dans les salons, leur style et leur contenu y sont discutés gravement, au même titre que les fragments d'essais, de mémoires, ou de pièces de théâtre.

On correspond en effet de plus en plus, en ce siècle. Les courriers réguliers (ordinaire et extraordinaire) mettent de moins en moins de temps à atteindre leur but. Aix est aux portes de Paris : en cinq jours, on sait tout de la capitale !

Lettres politiques, lettres d'érudits, de doctes ou de directeurs de conscience, les missives se croisent fréquemment et attestent l'intense circulation des

Le retentissement de l'affaire des Poisons est énorme et s'accroît lorsqu'on découvre que la Montespan elle-même est impliquée, coupable d'avoir voulu empoisonner sa rivale, la Fontanges... Le roi comprend que le trône risque d'être éclaboussé et met fin au scandale. La Montespan avouera simplement qu'elle avait fait confectionner des philtres pour conserver l'amour de son cher souverain, et l'on fit semblant d'oublier les messes noires qu'elle avait fait dire, sur l'autel de son corps dénudé...

En haut, à gauche : Mme de Sévigné ; à droite : Mme de Grignan.

idées au sein d'une société européenne qui aime à se découvrir. Les gazettes ne suffisent pas. Trop officielles, elles sont en butte aux censures multiples, et interdisent les confidences de la conversation. Les lettres sont leur complément. Car l'art de la conversation qui envahit les salons des «honnêtes gens» doit maintenant s'effectuer aussi à distance.

Et finalement, le style épistolaire constitue ses propres règles. A l'exemple de Guez de Balzac, on adopte, jusqu'en 1650, un style noble et grave, puis, en lisant Voiture, on sacrifie à l'esprit brillant, enfin, on privilégie le goût et le charme avec Bussy-Rabutin et sa cousine (bien moins célèbre à l'époque), Mme de Sévigné.

Les *Lettres* de Mme de Sévigné, que le XVIIIe siècle aura pour charge de découvrir, sont des témoignages, toutes sortes de témoignages.

Le nez levé, on s'enthousiasme et on s'inquiète...

En ces mois de novembre et décembre 1680, on se bouscule, on s'interroge, on s'apostrophe. Les almanachs disent qu'elle apporte le malheur, de mauvaises récoltes, des morts accidentelles, voire la peste ou la famine. D'autres en appellent à Dieu et considèrent le phénomène comme un avertissement, une sorte de commandeur qui

❝ Pour avoir de l'esprit et de la qualité, elle se laisse un peu trop éblouir aux grandeurs de la Cour [...]. Un soir que le roi venait de la faire danser, s'étant remise à sa place qui était auprès de moi : «Il faut avouer, me dit-elle, que le roi a de grandes qualités; je crois qu'il obscurcira la gloire de tous ses prédécesseurs.» Je ne pus m'empêcher de lui rire au nez, voyant à quel propos elle lui donnait des louanges, et de lui répondre : «On n'en peut douter, Madame, après ce qu'il vient de faire pour vous.» Elle était alors si satisfaite de Sa Majesté que je la vis sur le point, pour lui témoigner sa reconnaissance, de crier «Vive le Roi!» ❞
Bussy-Rabutin à propos de Mme de Sévigné, *Histoire amoureuse des Gaules*

viendrait prévenir les âmes des pécheurs de leur proche châtiment. On la voit, elle est là, on la craint un peu moins qu'en 1654 ou qu'en 1665, mais on ne peut cacher de petits frissons devant l'inconnu.

De mauvais esprits qui se croient savants, donneurs de leçons et férus de sciences, indiquent que la chose, si étrange au demeurant, se manifeste régulièrement et s'appelle : une comète...

On en voit même qui élucident le phénomène à grands coups d'astronomie, au risque de choquer quelques principes intangibles de la religion.

Le peuple de Paris, lui, retient son souffle

Il faut dire qu'après l'affaire des Poisons, le climat n'est ni serein ni surtout propice aux explications les plus scientifiques.

Sorciers, sorcières et diables de magiciens hantent les imaginations, suivis de leurs instruments bien tangibles, les poisons redoutables.

❝ Ne m'avouerez-vous pas qu'il est bien arrivé de grands malheurs sans comète, ou plutôt qu'ils sont presque tous arrivés sans comète ? Pourquoi les uns sont-ils annoncés, lorsque d'autres, et même plus considérables, ne le sont pas ? Quand il n'y a point de comète, il faut bien que l'on s'en passe et que l'on croie que tout est arrivé selon l'ordre naturel ; mais dès que le hasard veut qu'il en passe une, c'est justement elle qu'on rend responsable de tout le mal. ❞

Fontenelle,
la Comète

Çà et là, on adore Satan et ses démons. Les sorciers sont les prêtres de cette religion abhorrée et fascinante. Leurs rites sont des envers de la religion traditionnelle, leurs messes l'inverse des messes catholiques, leur foi un système inversé. Et l'on cherche dans les éléments naturels la confirmation du pouvoir du Malin. Les pestes font en général l'affaire ; cette fois, ce sera la comète.

Pierre Bayle analyse les croyances... à propos de la comète

On en dit tant et tant que les incrédules profitent de l'excès des superstitieux pour se moquer des croyances, les mettre en pièces et en venir à l'épineux problème des religions. Le vent vient du nord, de Rotterdam, du Refuge protestant encore à peine constitué. C'est un certain XVIIIᵉ siècle, critique et raisonnable, qui balbutie ses premiers mots sceptiques.

Les Pensées écrites à un docteur de Sorbonne à l'occasion de la comète qui parut au mois de décembre 1680 (1682), de Pierre Bayle, analysent le phénomène et les croyances qui en dérivent. L'année précédente, la comédie de M. de Fontenelle, *la Comète*, ridiculisait les astrologues et leurs prévisions, comme Molière ridiculisait les médecins.

Bayle met dans les mains d'un public informé des armes affûtées pour combattre les fausses croyances, les mensonges et les illusions, sans pour autant tomber dans l'incrédulité radicale : les superstitions liées à la comète sont de tout temps venues, affirme-t-il en convoquant une implacable analyse historique, de la volonté des puissants. Les princes et les religieux, relayés par des gens de lettres à leur solde sont accusés d'utiliser un instrument de domination de plus, en flattant le goût et le sentiment du vulgaire.

Cependant, Bayle en reste à l'analyse historique et ne cherche pas, comme le fera Fontenelle, à la compléter par des arguments psychologiques ou des mises en relation avec l'actualité religieuse et politique. Il est trop tôt pour cela, et Bayle est encore profondément lié au christianisme.

❝ Ayant rencontré à un de mes derniers voyages à Paris un ancien disciple qui s'était fait recevoir docteur en Sorbonne, et ayant raisonné avec lui sur bien des choses, je lui promis de lui écrire une petite dissertation sur ce qu'on appelle ordinairement des *prodiges* et des *signes de l'avenir*. Il me dit que je lui ferais plaisir, mais qu'afin qu'il pût la montrer à ses amis, il me priait de parler en catholique, ne voulant pas paraître en commerce avec des hérétiques. Une comète ayant paru quelques mois après, je me servis de l'occasion et me mis à composer, mais étant passé de pensée en pensée, jusqu'à des questions un peu singulières, je ne vis pas qu'il fût à propos de faire voir cela à personne... ❞

Pierre Bayle,
Préface aux *Pensées*

Les embarras de Paris

P aris, c'est la rue, la boue, le bruit, les carrosses rapides et dangereux, le guet à cheval, les attroupements. Et surtout la peur que tout ce monde bascule dans la violence. «Ajoutez les hurlements et les cris de tous ceux qui vont dans les rues pour vendre des herbes, du laitage, des fruits, des haillons, du sable, des balais, du poisson, de l'eau et mille autres choses nécessaires à la vie; et je ne crois pas qu'il y ait aucun sourd-né, si ennemi de lui-même, qui voulût à ce prix recevoir l'ouïe, pour entendre un tintamarre si diabolique.»

J.-P. Manara,
*Lettre d'un
Sicilien à
un de ses
amis*

❝ En quelque endroit
que j'aille, il faut fendre
la presse
»D'un peuple
d'importuns qui
fourmillent sans cesse.
»L'un me heurte d'un
ais, dont je suis tout
froissé ;
»Je vois d'un autre
coup mon chapeau
renversé ; [...]
»Et n'osant plus
paraître en l'état où je
suis,
»Sans songer où je vais,
je me sauve où je puis. **❞**
Boileau,
Satires, VI

Farces et foires

Avant que les foires Saint-Laurent (en août et septembre) et Saint-Germain (en février et mars) ne s'installent avec leurs troupes, leurs jongleurs et leurs danseurs, les bateleurs et les farceurs n'ont pas attendu qu'on édifie des charpentes et des loges pour amuser les badauds. Le Pont-Neuf et la rue Saint-Antoine (ci-contre) résonnent des rires et des stupeurs populaires. Dans les foires et dans les rues, le spectacle est le même. Quand les marchands d'illusion paraissent, la «canaille» et les «personnes de qualité» s'arrêtent.

❝ Que ces badauds sont étonnés
»De voir marcher sur des échasses!
»Que d'yeux, de bouches, de nez,
»Que de différentes grimaces!
»Que ce ridicule Harlequin
»Est un grand amuse-coquin,
»Que de gens de toutes façons,
»Hommes, femmes, filles, garçons;
»Et que les culs à travers cottes
»Amasseront ici de crottes
»S'ils ne portent de caleçons! ❞

Scarron

S'il dénonce une représentation de Dieu injustifiable, fanatique ou idolâtre, il choisit la Révélation et la liberté dogmatique dans le respect de l'Écriture, gage de fidélité, de soumission et d'obéissance à la voix divine.

Les *Pensées diverses* ne font pas scandale à cette époque, mais servent bien plus tard, en 1693, de pièce à conviction pour ses détracteurs. La *Continuation des Pensées diverses*, réponse à ces attaques tardives, ne paraît qu'en 1704. Aussi, Bayle peut-il se consacrer à un autre projet, déterminant un autre angle d'attaque : publier un journal.

S'ils ont encore bien souvent recours à l'écrivain public, les citadins apprennent à lire et partagent en groupe leurs lectures. Livres techniques, livres religieux, livres de chansons, almanachs divers et bibliothèques de colportage forment leur fonds commun.

Les gazettes et les lardons

En effet, malgré la censure royale, les gazettes et les journaux se développent, dûment commentés dans les salons de lecture et les premiers cafés. Depuis 1657, les nouvellistes du Luxembourg ont fait leur chemin. Des gens d'affaires, des avocats, des lettrés, des négociants anglais se réunissent régulièrement pour échanger des informations allant de la politique la plus sérieuse aux potins les plus scabreux.

Les images volantes, les placards illustrés et les «canards», petits imprimés de quelques pages, qui représentent des faits divers occasionnels, circulent tant et plus. La clientèle plus aisée et plus cultivée, elle, s'arrache les gazettes étrangères.

Face à *la Gazette* des Renaudot, les nouvellistes offrent d'autres sources capables de corriger les mensonges du roi et de ses ministres.

On voit fleurir ces «nouvelles à la main», parfois rédigées par des commis de la poste qui ouvrent le courrier pour alimenter leurs feuilles... Le journalisme moderne commence, on enquête, on interroge les valets et les cuisiniers, les cochers et le personnel des ambassades. La police de La Reynie et de D'Argenson n'y pourra pas grand-chose. Surgissent des «Mercures» qui présentent les nouvelles de manière systématique pour un public restreint, des «Lardons» qui se moquent du pouvoir avec violence et entrain, des «Lettres» venues de toutes les Cours, imprimées à La Haye, à Bruxelles, ou même à Paris...

RECVEIL DES
GAZETTES
de l'année 1631.

DEDIÉ AV ROY.

AVEC VNE PREFACE SERVANT
à l'intelligence des choses qui y sont contenues.

Et vne Table alphabetique des matieres.

Au Bureau d'Addresse, au grand Coq, ruë de la Calandre, sortant au marché neuf, pres le Palais à Paris.

M. DC. XXXII.
Avec Priuilege.

Tous les mardis et tous les mercredis, quai des Grands-Augustins, les curieux se rassemblent pour commenter les journaux venus de l'étranger. Les Parisiens s'informent, Louvois prend tout le profit de ces postes étrangères, et la police préfère ces périodiques et leurs informateurs aux «feuilles à la main», difficilement contrôlables. Tolérées, voire protégées, les gazettes de Hollande deviennent aussi célèbres qu'intéressantes.

Le roi exclut la R.P.R. C'est l'enthousiasme chez les croyants. Bossuet voit en Louis XIV un «nouveau Constantin», tandis que des cohortes de huguenots (200 000 à 300 000) passent clandestinement les frontières. Henri IV est bien mort, le roi conciliateur et bon enfant n'est plus qu'un mythe populaire. L'édit de Fontainebleau, le 18 octobre 1685, inaugure, pour les protestants français, une longue période de persécutions.

CHAPITRE IV

LES TRISTES, DURCISSEMENT ET SOMBRE FIN

" A l'heure qu'il est, hors de la piété, point de salut à la Cour, aussi bien que dans l'autre monde. "
Mme de La Fayette

Une décision mûrie

Louis XIV, pourtant bien décidé à ne gouverner qu'un État uni dans sa foi catholique, groupé derrière son souverain (au nom du principe fondamental «*cujus regio, ejus religio*»), s'était contenté de demi-mesures.

Colbert avait compris que la puissance financière protestante ne devait en aucun cas être négligée, et le pouvoir n'avait cessé de presser les huguenots de rentrer dans le giron de l'Église, en leur promettant tous les avantages pécuniaires et politiques qu'ils pourraient souhaiter.

Pélisson, académicien, huguenot converti, crée en 1676 une Caisse des conversions qui ramène quelques milliers de brebis égarées, particulièrement les plus intéressées...

❝ 1- [...] Avons, par ce présent édit perpétuel et irrévocable, supprimé et révoqué, supprimons et révoquons l'édit du roi notre dit aïeul, donné à Nantes au mois d'avril 1598 [...].
2 - Défendons à nos dits sujets de la R.P.R. de plus s'assembler pour faire l'exercice de ladite religion en aucun lieu ou maison particulière, sous quelque prétexte que cela puisse être [...]. ❞
Extrait de l'édit de Fontainebleau

NOVVEAVX MISSIONNERE envoyes
Par ordre De Louis Le Grand par tout
Le Royaume de France pour Ramener
les Heretiques a la foy Catholiques De la
Societte de M: des S:t Hut marechal de l'armée...

qui peut me
resister est bien
fort

Raison invincible

La force passe
La Raison

DRAGON MISSIONNERE

APPEL greengeliques

Heretique signant sa
conuersion

Certains s'exilent comme ils peuvent, d'autres abjurent. Certains sont déportés, envoyés aux galères ou dans les colonies, d'autres, obstinément, poursuivent la lutte vaine pour leur foi. Dans les Cévennes, pays à forte majorité protestante, se déroule (entre 1702 et 1705 essentiellement) la dernière guerre de religion qui oppose les Camisards et les dragons royaux. Soulèvement passionné d'un peuple de paysans et d'artisans, pasteurs illuminés, prédicants inspirés; répression féroce, douze mille morts, et finalement, retour à l'ordre monarchique.

Bossuet fait un travail immense : il convertit Turenne en 1668, esquisse avec Leibniz, dans les années 1670-1671, une union des deux Églises, et espère en vain convaincre le pasteur Claude de la fausseté de la Religion Prétendue Réformée.

On se lasse des demi-mesures. L'application restrictive de l'édit de Nantes est un premier pas vers une répression plus stricte, et, à partir de 1679, les choses se gâtent vraiment. L'influence de Colbert décline : dernier rempart des petits cercles érudits et curieux, la Couleuvre finit par mourir en 1683. Le Tellier et Louvois conseillent Louis XIV et sont partisans, d'accord en cela avec Mme de Maintenon et le R. P. jésuite de La Chaise, confesseur du roi, d'une politique plus dure envers les protestants.

Le royaume de France doit d'ailleurs redorer son blason, en matière de religion, lui qui demeure fâché avec le Pape et dépassé par l'Empereur vainqueur des Turcs infidèles sans l'aide française, depuis 1683. Enfin, le royaume a un compte à régler avec ces protecteurs des huguenots, grands fournisseurs de pasteurs et de libelles, que sont les Provinces-Unies, l'Angleterre et la Suède.

Réprimer, éduquer, favoriser

Pour vider le contentieux, le pouvoir combine violence légale et violence militaire. Privés de leurs droits, harassés par les dragonnades, sans pasteurs, les protestants se convertissent en masse, ou fuient. L'édit de Fontainebleau officialise la situation, par un symbole.

Favorisés par le pouvoir, les tenants de la Contre-Réforme ont maintenant le champ libre. Le redressement intellectuel, mené par les jésuites, est de plus en plus net. Séminaires, retraites, lieux de conférences ecclésiastiques, cérémonies mieux suivies, vocations innombrables venues de tous les milieux

❝ 4 - Enjoignons à tous ministres de ladite R.P.R. qui ne voudront pas se convertir et embrasser la Religion Catholique, Apostolique et Romaine, de sortir de notre royaume et terres de notre obéissance, quinze jours après la publication de notre présent édit [...] à peine des galères. **❞**

Extrait de l'édit de Fontainebleau

permettent la pratique d'une foi plus profonde, plus épurée et mieux maîtrisée qu'au début du siècle. Mais l'Église ne contrôle pas seulement les âmes, elle administre aussi la vie des hommes, elle enregistre les naissances, les mariages et les morts (la tenue des registres paroissiaux par les curés est rendue obligatoire par une ordonnance de 1667), elle est la scansion même de la vie.

Les ouvrages religieux et moraux, grands succès d'édition

Le catholicisme officiel reprend l'initiative par une flambée de publications, on s'arrache les ouvrages de théologie, les controverses, les traités de spiritualité, bien plus que les romans ou les pièces de théâtre. Les plus petites églises s'ornent d'un retable reprenant les dogmes du concile de Trente : l'eucharistie, la rédemption, la communion des

Ce superbe défilé en l'honneur de l'inauguration, en 1706, de l'église des Invalides, œuvre de Jules Hardouin-Mansart, ne peut cacher les troubles sanglants et les guerres perdues qui remplissent l'hôpital contigu, reconnaissance suprême du roi envers ses troupes. Le dôme royal, symbole de la complétude du régime, devient un symbole érodé par les réalités du temps.

À l'apogée des années 1680, succède un profond déclin. On a même considéré, oh symbole!, que la fistule dont souffre le roi, en 1684, est le signal de la décadence. Jusque-là, les fêtes, le luxe, les victoires succédaient aux frasques dans l'insouciance d'un roi encore jeune. A partir de 1684, plus rien n'est comme avant, Versailles s'ennuie, s'aigrit, se fige. Les prédicateurs s'essoufflent à dénoncer les spectacles et les romans, les prisons sont pleines et les guerres perdues... «Tout est affliction d'esprit dans les affaires temporelles», dira Mme de Maintenon en 1708.

saints. On construit des églises, on refait les façades des grandes églises gothiques, on aménage l'intérieur de chapelles dévotes, c'est une grande époque pour l'architecture religieuse.

A l'ombre de ce renouveau de la foi, bien des problèmes subsistent. Les «nouveaux convertis» traînent les pieds, opposent une résistance passive à l'obligation d'assister aux offices, et pratiquent leur culte clandestinement. Les villes et les campagnes gardent ce fond de superstition qui fait les beaux jours des sorciers, des sorcières et de leurs persécuteurs. Le haut clergé est bien plus occupé à célébrer la gloire du roi ou à intriguer à la Cour (les évêques sont nommés par le roi...) qu'à se répandre en synodes et en visites pastorales. Enfin, le courant libertin n'est pas mort, qu'il vienne de Londres, avec Saint-Évremond, de Bourgogne, avec Bussy-Rabutin, ou de Paris même...

A Versailles, pourtant, on prie, on se confit en dévotions, on imite le souverain. Le roi s'est rapproché de Rome, en 1693, quitte à revenir sur le gallicanisme qu'il avait soutenu quelques années plus tôt. Et puis, il faut bien trouver une autorité pour se défendre contre les dissidences religieuses, qu'elles soient quiétistes, avec Fénelon et Mme Guyon ou jansénistes, malgré la destruction de Port-Royal !

Du doute relatif au doute absolu

Les jansénistes lassent et ne font plus recette que dans la petite bourgeoisie intellectuelle d'avocats et de médecins, et dans le peuple.

Dans les cercles encore restreints de la noblesse et de la haute bourgeoisie parisienne, on finit par douter de tout, on mange de la viande pendant le carême, on rit dans les églises, on joue les incrédules, malgré la puissance du parti religieux. Dans ces milieux, l'insatisfaction se proclame par l'irrespect et la dérision.

Fénelon s'en prend à la politique du roi, aux guerres et aux malheurs qu'elles entraînent. Mal conseillé par le père de La Chaise qui l'entretient dans l'ignorance, Louis XIV est un aveugle conduit par un autre aveugle.

❝ Si le roi, dit-on, avait un cœur de père pour son peuple, ne mettrait-il pas plutôt sa gloire à leur donner du pain et à les faire respirer après tant de maux, qu'à garder quelques places de la frontière, qui causent la guerre ? [...] Vous n'aimez point Dieu ; [...] c'est l'enfer, et non point Dieu, que vous craignez. ❞

Fénelon,
Lettre au roi, 1693

A défaut de lire Spinoza, on en connaît quelques idées, que les institutions combattent en cessant de les tenir sous silence.

Le duc d'Orléans et sa fille affirment qu'ils sont athées, Fontenelle s'en cache à peine, et nombre d'érudits, de savants, d'hommes de lettres répandent leurs doutes dans les salons.

Le roi et ses partisans avaient cherché la fixité politique, culturelle, religieuse, et le temps leur donne tort. Tout se meut sous leurs yeux, rien ne peut être maîtrisé, arrêté, et surtout pas l'histoire. L'heure est au progrès, cette notion naissante. Et devant le raidissement du pouvoir, attaché au mythe de sa permanence, les nouvelles idées se déplacent, avec les hommes nouveaux, au nord des frontières.

L'observation, l'expérience, la géométrie, la physique deviennent les sujets de conversation majeurs chez les nouveaux précieux qui ne jurent que par Fontenelle. Dans ce milieu restreint, parisien et aristocratique, on se renseigne sur les objets scientifiques que les savants ont mis au point (lunette astronomique en 1609-1630, pendule vers 1650, machine arithmétique avec Pascal en 1644, télescope en 1671 avec Newton, microscope vers 1660, baromètre en 1640-1680, thermomètre en 1640 et 1714 avec Farenheit) ; on les achète à prix d'or, et on en remplit les «cabinets de curiosité». Le type idéal de la connaissance est la géométrie, et le grand chic est maintenant d'observer l'univers.

Les héros, là aussi, ne sont plus les mêmes. Finis les Rolands latins, les Cids aventureux et fiers, les Céladons pastoraux ; ceux qu'on aime et qu'on admire, dans les bonnes maisons, ce sont des scientifiques au discours exotique et chiffré.

Astronomie galante

Dans un grand parc, agencé avec goût et raffinement, par une nuit éclairée de milliers d'étoiles, les *Entretiens sur la pluralité des mondes* (1686) racontent merveilleusement les lois de l'univers à une délicieuse marquise. Fort galant, et très touché par sa compagne, le narrateur mondain enseigne, en quelques soirées, la révolution

Dans cette époque en mutation, les types de discours et de pensée se superposent sans s'exclure. Les gens des salons, les scientifiques, comme les philosophes, ne sont plus si respectueux des Anciens, s'intéressent aux sciences, critiquent les idées fausses, exercent leur raison et non uniquement leur mémoire.

" Depuis que les mathématiciens ont trouvé le secret de s'introduire jusque dans les ruelles, et de faire passer dans le cabinet des dames les termes d'une science aussi solide et aussi sérieuse que la mathématique, par le moyen du *Mercure galant*, on dit que l'empire de la galanterie va en déroute, qu'on y parle plus que de problèmes, corollaires, théorèmes, angle droit, angle obtus, rhomboïdes, etc.; et qu'il s'est trouvé depuis peu deux demoiselles à Paris à qui ces sortes de connaissances ont tellement brouillé la cervelle, que l'une n'a point voulu entendre une proposition de mariage, à moins que la personne qui la recherchait n'apprît l'art de faire des lunettes dont le *Mercure galant* a si souvent parlé; et que l'autre a rejeté un parfaitement honnête homme, parce que, dans le temps qu'elle lui avait assigné, il n'avait pu rien produire de nouveau sur la quadrature du cercle. **"**

Journal des Savants,
4 mars 1686

copernicienne pour que son interlocutrice accède avec fierté aux vérités et aux beautés de la raison scientifique. Révélation : la science est belle !

Les idées évoluent, le monde change, et l'on s'aperçoit vite que les progrès scientifiques réalisés avec l'appui des autorités, pour la plus grande gloire de la nation, critiquent, de fait, les notions sur lesquelles cette nation repose.

Les idées nouvelles naissent dans les Refuges

Les traités d'Utrecht rendent compte de la supériorité des hérétiques (Angleterre, Pays-Bas, Allemagne du Nord) sur les vieilles puissances catholiques (France et Espagne). Jacques II d'Angleterre, en fuite, recueilli par Louis XIV, ne reviendra pas sur son trône malgré l'expédition d'Irlande... «Dieu a donc oublié ce que j'ai fait pour lui», murmure Louis le Grand en apprenant la défaite de Ramillies, en 1706.

Guillaume III triomphe, Bossuet gémit sur l'Angleterre, Fénelon la voit «livrée à toutes les visions de son cœur», et les impies prospèrent quand la monarchie absolue s'aigrit.

La victoire sourit donc aux audacieux. Bayle, Spinoza, Locke deviendront des maîtres à penser, dès lors que les théoriciens catholiques seront moins crédibles.

Les débuts de l'anglomanie

De Londres, Saint-Évremond (1614-1703), libertin gassendiste, exilé depuis 1661, répand les idées nouvelles, dans une impressionnante correspondance. En familier des grands esprits du temps, il est fasciné par le changement que les découvertes de l'esprit impriment aux choses.

A Paris, on lit avec avidité ses jugements sur la littérature autant que ses rapports sur les philosophes anglais. C'est un peu grâce à lui que la majorité des regards est dirigée vers l'Angleterre, pays des savants et des penseurs libres des carcans latins. Pays qui sort d'une révolution avec enthousiasme, pays du nouveau libéralisme, pays de l'ouverture et du commerce. Pays qui surprend, ou qui ravit, aussi bien par l'issue heureuse de sa révolution, que par l'édification d'une nouvelle forme de gouvernement.

Le mauvais exemple anglais

Devant les Cours d'Europe ahuries, Guillaume d'Orange est proclamé roi d'Angleterre après avoir pris connaissance du contrat qui le lie à la nation anglaise. Qu'il s'agisse d'édicter des lois, de les supprimer, de lever des impôts, ou d'entretenir une armée, il doit avoir l'assentiment d'un parlement élu, libre et indépendant : c'est le *Bill of Rights* de 1689. L'existence des parlements n'a rien de nouveau, mais c'est leur rôle qui est cette fois différent, et reconnu dans la loi. En outre, le *Toleration Act*, du 24 mai 1689, accorde aux

Dans le «désert cévenol», puis dans tout le sud-est de la France, apparaissent de curieux prédicateurs, sûrs de leur foi, illuminés et convaincants. Impitoyablement pourchassés par les troupes royales, ils restent insaisissables. Leurs visions, leurs miracles et les transes qui les accompagnent réunissent des centaines de fidèles au sein de lieux improbables. En septembre 1703, le roi fait détruire 460 villages du haut-pays et les rebelles meurent de froid durant l'hiver suivant.

protestants dissidents la liberté de culte, d'enseignement et la possibilité de faire carrière pourvu qu'ils communient selon le rite anglican. Les catholiques restent exclus, mais l'Angleterre est en paix, pour longtemps.

Comment ne pas faire le lien entre les événements anglais et les réalités françaises ? Comment les milliers de protestants du Refuge, exilés à la suite de la révocation de l'édit de Nantes, feraient-ils l'économie de ce rapprochement ?

Un pasteur, Pierre Jurieu, dans ses *Lettres pastorales aux fidèles demeurés en France*, enfonce le clou. La puissance sans bornes du tyran est incompatible avec la souveraineté légitime. Sans reconnaître au «vulgaire» un droit individuel à la désobéissance, il admet cependant un droit populaire à la rébellion, «quand il y va de la ruine de l'État ou de la Religion». Mais cette position reste bien théorique et les hommes du Refuge (d'ailleurs partagés sur cette question, puisque Bayle, entre autres, redoute cette tendance à l'anarchie chez ses coreligionnaires), se méfient des révoltes populaires et ne tiennent pas à soutenir le mouvement camisard...

En 1690, John Locke, dans son *Essai sur le pouvoir civil*, répand la théorie d'un nouveau régime politique. L'Angleterre vient de donner une réponse différente à la question que l'Europe se pose depuis longtemps, celle du pouvoir monarchique et, à travers elle, de l'Etat.

Le retour de Racine au théâtre : *Esther* et *Athalie*

La Maison de Saint-Cyr, fondée en 1686 par la pieuse Mme de Maintenon, doit être un des plus beaux fleurons du règne de la nouvelle femme de Louis XIV, et la plus belle représentation de son intérêt charitable pour ses pensionnaires. Dès 1687, celle qui avait été «la Veuve Scarron» s'en ouvre à Racine, grand connaisseur en matière d'éducation, de piété et de divertissements qui relit pour elle les constitutions de Saint-Cyr.

Alors, pour écrire quelque chose qui convienne au temps et au lieu, elle pense naturellement à lui, aussi poète que courtisan plein de tact et de piété. *Esther*, divertissement édifiant en trois actes, sur une musique de J.-B. Moreau, avec costumes,

L a Bible mise en images, c'est aussi la Cour, avec ses vanités, ses angoisses, sa lutte pour le pouvoir, et l'on se perd en conjectures sur les interprétations possibles. Défense du jansénisme? Défense des huguenots devant la répression impie? Panégyrique de Mme de Maintenon sous les traits d'Esther? La foi peut être rédemptrice : Esther n'est pas la victime d'un pouvoir divin, mais son instrument, aussi est-elle sauvée. L'éclatante démonstration se fait opéra, musique, divertissement, conjugue le plaisir et l'édification religieuse: la prière d'Esther émeut, convainc, et ravit un roi qui l'écoute inlassablement, soir après soir.

ballets et chants des «petites bleues», est représenté
devant le roi et la Cour début 1689.

Racine, un auteur sur qui l'on peut compter

Dans les moments difficiles, les auteurs fidèles
sont source de grandes satisfactions... Racine,
historiographe attaché aux exploits du Roi-Soleil,
avec Boileau, n'a pas rompu avec le théâtre pour
autant. Ses pièces sont toujours jouées, à Versailles
comme à Paris : il fait déjà partie des classiques. Ses
détracteurs sont nombreux, envieux ou sincères,

« Impitoyable Dieu, toi
seul as tout conduit.
»C'est toi qui me
flattant d'une
vengeance aisée,
»M'as vingt fois en un
jour à moi-même
opposée,
»Tantôt pour un enfant
excitant mes remords,
»Tantôt m'éblouissant
de tes riches trésors,
»Que j'ai craint de
livrer aux flammes, au
pillage.
»Qu'il règne donc ce
fils, ton soin et ton
ouvrage;
»Et que pour signaler
son empire nouveau,
»On lui fasse en mon
sein enfoncer le
couteau.»

Racine
Athalie, Acte V, Scène 6

mais Corneille, Mme de Sévigné, Bussy-Rabutin
et Mlle de Scudéry ne sont plus si venimeux, et il
ne reste que le malheureux Pradon
pour faire encore le coup de feu.

Le grand rêve d'un art total : l'opéra biblique à grand spectacle

La mode est à l'opéra, la Cour
a faim de chants, de danses,
de spectacles depuis Lully. Un bon
courtisan ne peut que souscrire à cet
engouement, un prince des lettres ne peut
qu'y être le meilleur, en renouvelant le genre.

Ainsi, l'«homme de bien» qu'est devenu
Racine, favori du roi jusqu'à être invité dans
l'intime retraite de Marly (dès 1689), va
chercher à composer un grandiose opéra
biblique en prenant le sujet d'*Athalie*. Cinq actes,
des intermèdes musicaux, pas d'entractes, pas de
monologues, de nombreux figurants... et le Temple
de Jérusalem, érigé par Salomon, matérialisation de
la personne de Dieu, «le seul lieu sur la terre où
Dieu veut qu'on l'adore», manifestation de la force
divine et de son action.

Malgré le goût du roi pour les spectacles et son
admiration pour Racine, *Athalie* ne sera jouéè qu'en
costumes de ville et sans les nombreux musiciens
qui étaient prévus : il est décidé que Saint-Cyr ne
serait pas une seconde fois le centre de la vie
mondaine, la somptuosité n'est décidément plus de
saison ! Les dévots les plus durs emportent une
première victoire précédant la grande réaction anti-
théâtrale de 1694.

Pour profitable qu'elle ait été, l'aventure n'en
cesse pas moins. Racine n'écrira plus pour le
théâtre, sinon pour revoir ses anciennes pièces,
mais il devient gentilhomme ordinaire du roi
en décembre 1690. Pénitent hypocrite selon
les uns ou sincère selon les autres, il savoure
auprès du roi sa longue et glorieuse carrière.

Jusqu'en 1698, il sera un courtisan
prestigieux, un dévot engagé, et un auteur
renommé. Ses pièces sont traduites,
honorées, ses positions dans les querelles

❝ Quoique ces pièces
ne soient représentées
que peu de fois [...],
on s'occupe à en parler
pendant plusieurs
mois; [...] et quand on
est ainsi tout rempli
d'une chose sainte et
morale, [...] qui entre
dans l'esprit parce
qu'on s'y plaît, on ne
l'a point occupé par
d'autres choses. ❞
Mme de
Maintenon

font autorité, et ses ennemis stigmatisent l'ambiguïté de ses positions et de ses statuts.

La retraite du courtisan et la destruction du Temple...

Mais dix-huit mois avant sa mort, qui survient le 21 avril 1699, il se retire de la Cour, semble brûler ce qu'il a si longtemps adoré, dans une sorte de sursaut mystique déjà entamé avec la rédaction des *Cantiques spirituels*. Les motifs de la trahison et du reniement, présents dans toute son œuvre, sa passion pour le monde constamment remise en question par l'abjuration de l'ordre familial et religieux qu'elle implique, trouveraient là leur ultime réponse...

Malade, vieillissant, il se rapproche de son ancienne école, Port-Royal, et rédige un *Abrégé* de son histoire. Le secret de cette rédaction lui permet de rester l'ami et le favori du roi et de Mme de Maintenon, ultime ambiguïté du poète-courtisan, gentilhomme bien extraordinaire...

Dans *Athalie*, l'épopée, la tragédie et l'opéra sont réunis au sein d'un projet énorme qu'en principe le roi doit apprécier. Mais en cette année 1690, les dévots les plus austères installent leur pouvoir en rejetant toute forme de théâtre, fût-elle édifiante. On fait valoir à Mme de Maintenon que ses demoiselles deviennent des actrices, ce qui est le pire des maux, qu'elles jouent, de fait, dans un divertissement de Cour, comme de mondaines créatures. Elles se montrent aux hommes et prennent goût à leur compagnie; leur vanité, apanage du sexe faible, s'en trouve renforcée, et leur exemple pernicieux finit par pervertir d'autres maisons religieuses...

Les Anciens et les Modernes : le siècle de Louis et le siècle d'Auguste

Scandale à l'Académie française : le 27 janvier 1687, Perrault lit son nouveau poème sur *le Siècle de Louis le Grand.* Grand maître des cérémonies culturelles du régime, il célèbre la guérison du roi et la gloire du règne...

> «La belle Antiquité fut toujours vénérable.
> Mais je ne crus jamais qu'elle fût adorable.»

Les deux vers ont franchi la surdité débutante du vieux Boileau. Malade, suffocant, il s'indigne du plus fort qu'il peut, avec sa voix éraillée qu'il est en passe de perdre tout à fait. Académicien avec difficulté depuis moins de quatre ans, échaudé par les luttes qui avaient émaillé son élection et celle de La Bruyère, il s'attendait à une sortie de ce genre, mais si, c'en est trop, c'est la guerre ! La querelle s'installe. Le 25 août 1687, Perrault écrit une *Épître* au roi «touchant l'avantage que Sa Majesté fait remporter à son siècle sur tous les siècles», devient encore plus agressif dans une pièce en vers, *le Génie,* en juillet 1688, fait enfin paraître le *Parallèle des Anciens et des Modernes* entre 1688 et 1692.

Perrault, attaqué de toutes parts, va de plus en plus loin : Homère n'est plus rien auprès des romanciers du Grand Siècle. Pindare, Démosthène et Aristote sont ridicules auprès de Mlle de Scudéry et de Chapelain, sans compter les nouveaux auteurs que le progrès va produire !...

Le mal vient de plus loin...

En fait, les deux camps s'observaient depuis 1670. Les «gens de Versailles» et les «beaux esprits de Paris» s'affrontent à fleurets mouchetés, par coteries et salons interposés. Chacun a ses protecteurs. Racine, Boileau, La Fontaine s'appuient sur la Cour, Bossuet, l'aristocratie et la haute magistrature ; les Modernes ont pour organe *le Mercure galant* et se

A cte I. Perrault mène l'offensive avec *le Siècle de Louis le Grand* (1687) : «Je vois les Anciens sans plier les genoux, »Ils sont grands, il est vrai, mais hommes comme nous : »Et l'on peut comparer, sans craindre d'être injuste »Le siècle de Louis au beau siècle d'Auguste.»

A cte II. La Fontaine réplique dans son *Épître à Huet* (1687) : «Ces discours sont fort beaux, mais fort souvent frivoles, [...] »Et, faute d'admirer les Grecs et les Romains, »On s'égare en voulant tenir d'autres chemins.» Boileau renchérit avec la *Septième Réflexion sur Longin* (1694) : «Lorsque des écrivains ont été admirés durant un fort grand nombre de siècles [...] il y a de la folie à vouloir douter du mérite de ces écrivains.»

réunissent chez Mᵐᵉ Deshoulières ainsi que dans de nombreux salons parisiens.

Cette opposition ne recouvre pas seulement une différence de vues sur l'importance des textes anciens. Les déclarations excessives de Perrault sont trompeuses, et Fontenelle s'en rend lui-même tout à fait compte, tout en l'épaulant dans une brillante *Digression sur les Anciens et les Modernes* (1688). Devant le triomphalisme des partisans de la nouveauté et du progrès, les «vieux auteurs» s'aigrissent et notent avec humeur que la vie contemporaine, passionnée par le jeu, le luxe, le goût galant, la politesse mondaine et l'élégance délicate sont bien loin des contraintes, des efforts et de la peine nécessaires à toute vie réglée. La galanterie est pour eux une nouvelle préciosité, ce que ne dément pas la participation de Quinault, ou du vieux Benserade. L'Antiquité est pour les partisans des Anciens une question de principe : le goût classique s'est formé à partir des maîtres antiques et leur étude a permis à des hommes du commun de devenir de brillants auteurs.

Reddition

En août 1694, il faut bien céder devant Perrault. Au gré des deuils (La Fontaine en 1695, Racine en 1699), Boileau s'isole de plus en plus et se rapproche à tel point des jansénistes qu'il en devient suspect. Son appartenance familiale au milieu du Palais, sa lecture enthousiaste des *Provinciales* lorsqu'il avait vingt ans, son goût pour la polémique, ses rencontres avec le Grand Arnauld et les positions augustiniennes qui en découlent (*Épître*, III) le

Acte III. Alors que La Bruyère rejoint les Anciens, la presse accentue la pression sur Boileau et ses partisans. En 1688, Fontenelle développe ses thèses dans sa *Digression sur les Anciens et les Modernes* et Perrault écrit son *Parallèle des Anciens et des Modernes*: «Autrefois, il suffisait de citer Aristote [...]. Présentement, on écoute ce philosophe comme un autre habile homme, et sa voix n'a de crédit qu'autant qu'il y a de raison dans ce qu'il avance.»

Acte IV. Boileau publie l'*Ode pindarique sur la prise de Namur* et l'année suivante, la *Satire X* contre les femmes qui soutiennent les Modernes.

Acte V. Les positions se rapprochent. Boileau envoie en 1694 une lettre plus nuancée à Perrault, qui réplique de manière conciliante dans son *Cinquième Dialogue des Parallèles* (1697). Boileau conclut : «Tout le trouble poétique
»A Paris s'en va cesser :
»Perrault l'anti-pindarique,
»Et Despréaux l'homérique
»Consentent à s'embrasser.»

laissaient déjà supposer. Mais cette fois, le héraut de la monarchie absolue tempête contre la confiscation que les jésuites ont fait du pouvoir. *L'Équivoque*, poème écrit entre 1703 et 1705, est interdit pour sa foi en l'amour de Dieu et son réquisitoire contre la Compagnie de Jésus. Rome et Versailles sont aux mains du père Le Tellier, confesseur du roi, nouveau monarque religieux.

Le vieil homme plaintif est brisé : «L'ouïe me manque, ma vue s'éteint, je n'ai plus de jambes...», et deux mois après l'interdiction de son épître, il s'éteint, le 13 mars 1711. Il avait consacré toute sa vie à la défense du Beau absolu, intemporel, immortel, et le Beau avait changé.

> 66 Pour peu même que ceux qui liront ces *Contes* soient disposés à profiter des exemples de vertus et de vices qu'ils y trouveront, ils en pourront tirer un avantage qu'on ne tire point de la lecture des autres contes, qui sont plus propres à corrompre les mœurs qu'à les corriger. 99
> Antoine Galland,
> préface aux
> *Mille et Une Nuits*

Des contes français aux rêves orientaux : les *Contes* de Perrault (1698) et *les Mille et Une Nuits* (1704-1717)

Le sultan Schahriar a décidé de se mettre à l'abri de l'inconstance des femmes en épousant chaque nuit l'une de ces créatures infidèles et en la tuant au réveil. La belle Shéhérazade, fille du grand vizir veut arrêter le massacre. Elle épouse le sultan, mais demande que sa sœur couche dans sa chambre. Chaque matin, la petite sœur exige qu'en attendant le jour, Shéhérazade raconte une histoire, et naturellement, la conteuse a soin de ne pas terminer la narration et de la laisser en suspens jusqu'au matin suivant. Les contes les plus merveilleux se succèdent ainsi enchâssés, sans que le sultan n'y puisse rien, entraîné par la magie des récits...

Et derrière Schahriar, tout un peuple de lecteurs émerveillés découvre Sindbâd et Aladdin. Les Arabes, grâce à Antoine Galland (1646-1715), ne sont plus ce qu'ils étaient. Depuis que l'antiquaire du roi a appris le turc, le persan et l'arabe lors de ses voyages à Constantinople (1676-1679), les lecteurs ne reconnaissent plus leurs idées sur la question.

La traduction du Coran, puis des *Mille et Une Nuits* (1704-1717), rend les Arabes soudain civilisés, et gomme une partie de leur barbarie. Les artifices du traducteur font le reste, en visant l'élégance, la bienséance, la conformité au goût et aux idées du temps. L'exotisme est apprivoisé.

Voyages réels et imaginaires

Les Français ne sont plus seuls, même s'ils se savent les meilleurs. Certains voyagent et informent les autres. De curieux personnages entrent de plain-pied dans leur univers, qu'ils viennent des contes, des rêves ou de l'étranger et ces nouveaux héros mettent en question un monde qui ne demande qu'à évoluer.

En trouvant d'autres interlocuteurs, on trouve immanquablement d'autres discours sur le monde.

Les missionnaires jésuites s'en vont évangéliser la Chine et envoient régulièrement des *Lettres édifiantes et curieuses*, pleines de leurs difficultés à convaincre les païens des merveilles de leur civilisation. Publiées dès 1702, elles s'augmenteront de celles des missions d'Amérique, du Levant et des Indes, pour former, en 1780, un impressionnant recueil de vingt-six volumes.

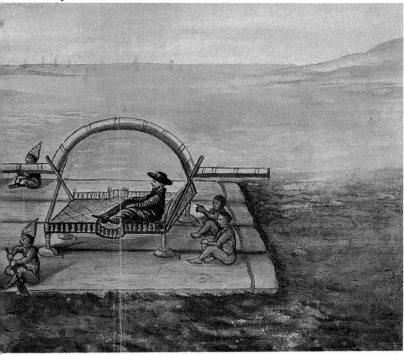

Les Orientaux, les Chinois, les Arabes, rencontrés au hasard des voyages, et les «êtres de nature» créés par les auteurs (en particulier le sauvage iroquois Adario des *Dialogues de La Hontan avec un sauvage américain*, 1703), permettent à la fois de juger la société présente d'un point de vue donné comme extérieur, et de parler de l'essentiel, c'est-à-dire du fondement des sociétés. La critique et la philosophie se rejoignent ici, et pour longtemps. Par mode ou par ordre du roi et de son ministre, des hommes voyagent et rapportent des observations curieuses qui mettent en question les bases mêmes de la puissance royale : les lois, les coutumes, les religions, les constitutions font l'objet de notes, d'étonnements multiples, mais aussi de réflexions approfondies sur l'essence de ces notions.

❝ Quand nous leur avons fait avouer que la religion chrétienne n'a rien que de grand, de saint, de solide, on dirait qu'ils sont prêts à l'embrasser; mais il s'en faut bien. Ils nous répondent froidement : «Votre religion n'est point dans nos livres, c'est une religion étrangère : y a-t-il quelque chose de bon hors de la Chine, et quelque chose de vrai que nos savants aient ignoré ?» ❞

Lettres édifiantes,
10 février 1703

LE PETIT
POUCET.

CONTE.

L eſtoit une fois un Bucheron & une Bucheronne, qui avoient ſept enfans tous Garçons. L'aîné n'avoit que dix ans, &

RIQUET
A LA HOUPPE.

CONTE.

L eſtoit une fois une Reine qui accoucha d'un fils, ſi laid & ſi mal fait, qu'on
N iij.

LA
BARBE BLEUË.

L eſtoit une fois un homme qui avoit de belles maiſons à la Ville & à la

Voyage dans la tradition : les contes

Restent les contes de fées, pour rêver sans entraves. Apparemment fort loin de la géométrie et de l'austérité versaillaise, les *Contes de ma mère l'Oye* (1698) viennent distraire les lecteurs qui ont l'heureuse surprise de retomber, un moment, en enfance. Perrault amuse en reprenant ces histoires venues du fond des âges, par l'entremise des femmes, en les prétendant transcrites par son propre fils. Récits ou poèmes d'enfants pour les enfants ? Tout s'y oppose. Il n'est pas pensable, à l'époque, qu'on écrive pour ces chers bambins, et les personnages merveilleux, lorsqu'on les regarde de près, ont des pulsions et des préoccupations de grandes personnes. Perrault en revient, lui aussi à l'air du temps. La violence s'empare du texte, les problèmes d'argent l'envahissent, la matérialité domine, en particulier chez ces paysans qui n'ont plus rien d'extraordinaire. Forme non classique, le conte devient fable ; et les morales ont pour charge de ramener le lecteur à des réalités dont il avait cru s'affranchir.

❝ On voit ici que de jeunes enfants,
» Surtout de jeunes filles
» Belles, bien faites, et gentilles,
» Font très mal d'écouter toute sorte de gens [...] ❞

Perrault, début de la morale du *Petit Chaperon rouge*

La solitude du vieux roi, de Versailles à Marly

De plus en plus autoritaire, Louis XIV ne sait plus séduire. Et comme il s'ennuie ferme à Versailles, le roi s'isole à Marly. Mme de Maintenon elle-même, sa dévote femme depuis 1683, n'est plus en cour, pour avoir défendu des positions par trop pacifistes. En privé il s'en remet à Dieu, à ses médecins, et à son confesseur. Le père Le Tellier, successeur du père de La Chaise, administre sa conscience au point que certains pensent qu'il administre aussi l'État. Le règne n'en finit pas : plus de dents, plus d'amis, plus de fils, plus de victoires, plus de saisons (les hivers sont terribles et les récoltes catastrophiques, c'est, selon les climatologues, le «petit âge glaciaire») : tout va décidément bien mal.

«Dieu me punit...»

Depuis 1691, date de la mort du grand ministre Louvois, Louis XIV ne cesse d'enterrer des hommes irremplaçables. Pudeur, conscience de son état? L'image qu'il donne de sa grandeur lui interdit de longs éloges posthumes dont il laisse le soin aux ministres et collaborateurs qui sont sous ses ordres. Au plus fort de cette longue guerre qu'il mène pour établir son petit-fils, Philippe V, sur le trône d'Espagne (depuis 1700, la guerre de succession d'Espagne fait rage), alors que les armées essuient une série de défaites qui les avait menées jusqu'à Malplaquet (11 septembre 1709), le Grand Dauphin, espoir du royaume, s'éteint le 14 avril 1711. Le 12 février 1712, vient le tour de la duchesse de Bourgogne, puis le 18 février, le duc de Bourgogne, deuxième Dauphin, et le 8 mars, le duc de Bretagne, troisième Dauphin (âgé de cinq ans), succombent aussi aux assauts de la variole. Le destin s'acharne sur les descendants d'Henri IV, comme à plaisir. Le duc d'Alençon (bébé de vingt jours) et son père, le duc de Berry (petit-fils du roi), meurent en 1713 et 1714.

La paix tant recherchée, celle que l'abbé de Saint-Pierre esquisse dans son *Projet pour rendre la paix perpétuelle en Europe* (1713), celle que

L a mort entoure le vieux roi. «Dieu me punit, je l'ai bien mérité, mais suspendons un peu nos douleurs sur les malheurs domestiques et voyons ce qui peut se faire pour prévenir ceux de l'État», avait dit Louis XIV au maréchal duc de Villars, le 16 avril 1712...

Mme de Maintenon appelait de tous ses vœux est enfin atteinte et signée : Philippe V régnera en Espagne, mais renoncera à ses droits sur la couronne de France. Ce sont les traités d'Utrecht (1713) et de Rastadt (1714).

Le futur Louis XV n'était né que le 15 février 1710...

La vie citadine, des salons aux cafés

A la ville, pourtant, les fortunes se font à l'ombre de la guerre, les «brasseurs d'affaires», qu'ils soient nobles ou bourgeois, se voient à l'Opéra, auprès des comédiennes et des danseuses. C'est la mode des eaux-de-vie et des ratafias, du jeu et des scandales : les femmes, autant que les hommes, sont les

Dès 1660, la veuve de Scarron, spirituelle et jolie, est choisie par Mme de Montespan pour s'occuper des enfants illégitimes du roi. De modeste naissance, Françoise Scarron est la petite-fille d'Agrippa d'Aubigné, grand poète protestant et fidèle d'Henri IV. «La Belle Indienne» (qu'on appelait ainsi parce qu'elle avait des origines créoles) n'inquiète pas la favorite de Louis. D'abord effacée, dévote et louée pour son savoir, elle se consacre avec ferveur à son devoir d'éducatrice, puis se fixe auprès du roi, toujours dans l'intérêt de ses protégés. Mariée secrètement au roi, après la mort de Marie-Thérèse, cette femme devient ce qu'elle n'avait jamais rêvé d'être : le second personnage du royaume. Après la mort de Louis XIV, elle se retire à Saint-Cyr et se consacre à l'éducation de ses «petites bleues».

Les cafés sont de nouveaux centres de réunions. Au *Procope*, chez *Gradot*, chez *La veuve Laurent*, les plus grands esprits conquièrent leur gloire en commentant avec acidité les gazettes officielles, en se passant «sous le manteau» les gazettes à la main et les livres défendus, tout en se méfiant des «mouches» gouvernementales qui notent les propos subversifs et les noms de leurs auteurs... Fumer, boire du café, et discuter d'importance du progrès des sciences et des arts, voilà l'attitude «moderne»!

actrices de ces réjouissances. Les soupers de l'Enclos du Temple, autour des Vendôme, font les délices des chroniqueurs à scandale. Mais on y parle aussi littérature, avec des gens fort divers qui peuvent s'ennuyer ostensiblement en lisant l'*Énéide* ou soutenir les Anciens en ridiculisant La Motte et Fontenelle. Chez la duchesse du Maine et son frère, à Clagny, puis à Sceaux, on rime et l'on parle philosophie, en encensant Descartes et en glorifiant la Raison. On va même, en 1705, jusqu'à proscrire les bouts-rimés, les acrostiches et les anagrammes jugés trop futiles et surtout trop prisés dans les nouveaux salons modernes... C'est ici le fief des partisans des Anciens, comme à L'Isle-Adam, chez le prince de Conti, exilé de la Cour.

Mais les Modernes aussi ont leurs coteries de plus en plus nombreuses, en particulier celle du

Palais-Royal, chez le duc d'Orléans, passionnées de l'Angleterre et de ses philosophes, au point que l'ambassadeur d'Angleterre lui-même, en arrivant en France en 1714, est surpris de voir l'engouement des Français pour son pays. Mme Deshoulières est la reine des années 1685-1690, tandis que le salon de Mme de Lambert devient en 1700 l'antichambre des Académies, tant le parti moderne y est puissant.

Dans ces salons et dans ces «cours galantes», l'élite est de plus en plus nettement installée. Quitte à accepter quelques bourgeois, ces modernes élites aristocratiques veulent créer un petit monde sensible, à la limite de la préciosité, doutant de tout et même de Dieu, fier de sa liberté, de son intelligence et de son invulnérabilité. L'esprit critique est à la mode, tout autant que les nouvelles sciences attachées aux matières les plus périlleuses. De cercles savants en académies politiques, Fontenelle semble faire le lien, passant dans tous ces endroits, comme un général avant la bataille.

Les oracles et la religion

Le petit univers des salons connaît ses promenades nocturnes, puis de plus en plus de lecteurs curieux de nouveautés s'émerveillent devant les interprétations de l'univers que leur propose Fontenelle et s'interrogent avec lui sur les choses de ce monde-ci. En 1686, il fait paraître dans le journal de Pierre Bayle une *Relation de l'île de Bornéo*, critiquant sévèrement les religions et leurs querelles, puis une *Histoire des oracles* qui passe au crible de la raison et de l'analyse historique les croyances populaires et leur diffusion. On le savait critique (avec ses *Dialogues des morts* de 1683), précieux (avec ses *Poésies pastorales* publiées en 1688), on le voit maintenant impie, ce champion de la Raison toutes catégories.

Quel succès ! D'autant que les jésuites, *Journal de Trévoux* et le R. P. Baltus en tête, ont la bonne idée de le dénoncer, fort courtoisement il est vrai (*Réponse à l'Histoire des oracles de Monsieur de Fontenelle*, 1707). La bataille aurait pu être plus violente et plus cruelle, si Fontenelle avait été moins célèbre, moins soutenu, et moins bien

Neveu des frères Corneille, Fontenelle est connu pour sa longévité, seul centenaire (1657-1757) de la République des Lettres. C'est un philosophe préoccupé de sciences exactes. Selon lui, l'homme n'est plus le centre de l'univers, les idées anciennes ne sont pas par essence respectables. Pour que le progrès avance et que les lumières de la raison triomphent, Fontenelle s'astreint à être pédagogue, il convertit les théories qu'il connaît parfaitement en traités lisibles par un public averti. Il introduit en France la mathématique newtonienne et s'en ouvre aux académiciens ses confrères.

conseillé. Jusqu'au lieutenant de police, D'Argenson, qui intervient pour le sauver de l'embastillement et le détourner d'une réponse à la *Réponse* qui aurait pu lui être fatale...

«Théâtromanie ?...»

Outre Fontenelle et les sciences, le théâtre occupe fort cette société privilégiée qui se retrouve dans les cafés et les salons...

Chaque soir, ses représentants s'en vont se placer au parterre pour les bourgeois, dans les loges pour les nobles dames et les «beaux messieurs», sur les banquettes de la scène (le «théâtre») pour les petits marquis. Là, on joue au moins autant qu'on voit jouer. Les actrices de la Comédie-Française (les troupes de Molière et de l'Hôtel de Bourgogne ont été réunies, par ordre du roi, en 1680) et celles de l'Opéra y attendent leurs courtisans. Le public observe les ballets et les intrigues des loges, évalue les regards des jeunes gens du «théâtre», vers la salle, apostrophe les comédiens et les connaissances pendant la pièce et risque quelques bons mots... brouhaha des mille cinq cents spectateurs.

L'horreur, merveilleux ressort du tragique

Sur ce qui reste de scène, les acteurs récitent du Crébillon tragique, sorte de tragédie fondée sur l'horreur que peuvent inspirer les méfaits des mythiques anciens. *Atrée et Thyeste*, en 1707, fait frémir les amateurs quand le héros découvre que la coupe qu'il va boire est pleine du sang de son fils. Les bienséances ne s'en offusquent point, le texte reste en alexandrins, légèrement aseptisés. Et n'est-ce pas Crébillon qui disait, comme pour se justifier : «Corneille a pris la Terre, Racine le Ciel, il me reste l'Enfer» ?

Il est devenu un peu moins risqué d'être comédien, même au moment de l'austère période dévote. Les ecclésiastiques eux-mêmes commencent à s'enticher de comédie. Bossuet, qui condamnera toute forme d'art dramatique en 1694 dans ses *Maximes et réflexions sur la comédie*, raffole encore des spectacles.

L'argent comique

En «baisser de rideau», après la reprise de Racine ou la création de Crébillon, il y a la comédie, qui passionne toujours les spectateurs. Il s'agit d'être vif, et de compter sur la rapidité des jeux de scène. En un acte et en prose, tout est dit, légèrement, grâce à Dancourt, à Dufresny, à Regnard ou à Lesage. Les auteurs sont bien décidés à suivre de près l'actualité et à critiquer

À partir de 1690, le roi ne paraît plus aux spectacles de comédie. Les Comédiens-Français sont chassés, en 1687, de la rue Guénégaud parce que dangereux pour les étudiants du collège voisin. Ils s'installeront en 1689 rue des Fossés-Saint-Germain.

les tendances du moment. Dans ce théâtre, on parle beaucoup d'argent : les agioteurs, les notaires pourris, les chevaliers entretenus par des maîtresses obligeantes, les financiers implacables, enfin les joueurs et les parvenus reviennent souvent, copieusement censurés. Dans *Turcaret ou le Financier* (1709), Lesage promeut un voleur venu du peuple aux dépens d'un «traitant» indélicat et imbécile : la société n'a plus aucune morale, et l'on veut en rire ! La plaisanterie ne sera cependant pas du goût de tout le monde : en ce froid hiver, l'accueil est glacé. La clientèle fortunée de la Comédie-Française (noble ou bourgeoise) n'apprécie pas la dénonciation de la «Ferme», ni le miroir qu'on lui tend et préfère *le Légataire universel* de Regnard, moins surprenant, plus rassurant.

C'est l'époque des «roués», illustrée par Hogarth en Angleterre, et contée par Lesage, dans le *Gil Blas de Santillane* qu'il commence à publier en 1715, sorte de compromis bien français entre le picaresque espagnol (l'Espagne revient à la mode en ces années) et le roman de mœurs naissant.

L e 14 mai 1697, malgré les plaintes des Italiens et leurs protestations de ferveur religieuse, leur théâtre ferme, les scellés sont posés et leur expulsion est décrétée. En 1702, une censure officielle est instituée pour surveiller tous les théâtres.

Un léger parfum d'amertume

Le pessimisme règne là où les roués vont leur train. Pour La Bruyère, plus rien ne mérite le moindre enthousiasme, plus de héros, plus même d'anti-héros.

Le monde a finalement cédé aux passions qu'on observe avec rigueur. L'homme de bien est devenu une sorte de phare, une figure de convention qui présente une vertu abstraite à l'horizon du discours, comme s'il fallait ne pas désespérer tout à fait.

Amertume. Lorsqu'on se voit rejeté par un jeune duc (le fils de Condé, Louis de Bourbon) à qui l'on se proposait d'inculquer la morale et l'Histoire, lorsqu'on garde la bibliothèque de Chantilly faute de pouvoir devenir un grand précepteur, lorsqu'on dédaigne les beaux esprits parisiens au point que leur cabale vous interdit par trois fois d'entrer à l'Académie française, il y a de quoi être amer. Alors, le mépris, le dédain et la bile deviennent des armes fort tranchantes.

Enfin entré à l'Académie, La Bruyère fait scandale dans son discours de réception (15 juin 1693) : il loue avec éclat Bossuet, La Fontaine, Boileau et Racine, néglige de citer son prédécesseur, censure Corneille — oncle de Fontenelle — et les Modernes, enfin ne se montre reconnaissant qu'envers ceux qui ont tant intrigué pour qu'il devienne Immortel. On l'y déteste donc cordialement, d'autant que le grand succès des *Caractères* ne lui a pas fait que des amis...

M ais voilà qu'on ne peut plus parler... La police intervient en 1706 pour rappeler aux Italiens que leurs pièces, à la mode de Regnard, de Lesage (ci-dessus) et de Dufresny, ne doivent pas comporter de dialogues...

Livres et lecteurs

Voilà donc ce qui occupait, entre 1661 et 1715, bien moins d'un cinquième des Français. Les autres cherchaient à survivre en craignant le Malin et en s'aidant des sorcières. Les quatre cinquièmes de la France restent à alphabétiser en 1685. Une bonne partie du pays s'exprime en une autre langue, les «pestes» et, ponctuellement, les flambées de colère désolent les provinces.

E n haut, page de gauche : La Bruyère.

Atmosphère difficile, inquiète, violente, hivers glaciaux de la fin du siècle, croyances populaires à peine maîtrisées par la Contre-Réforme militante, ou favorisées.

Et parfois, au détour d'un texte, on croise la misère, la boue, l'émeute, la famine, ombres d'une réalité qu'on ne peut, ni ne veut, occulter...

Ceux qui lisent racontent parfois aux autres les histoires et les informations qu'ils ont glanées dans les minces brochures couvertes de papier bleu, fort mal imprimées, qu'ont acheminées les colporteurs. On s'évade avec eux dans le monde des paladins et des croisés, on en apprend de belles en matière de sciences «occultes», d'horoscopes ou de «prognostications», sur le temps de l'amour, de la guerre ou des vendanges !

Dans les grandes villes, les livres les plus lus traitent surtout de morale et de religion. On les lit pour savoir quoi faire, et quand. La direction de conscience, lorsqu'elle ne peut être particulière, faute d'argent, doit bien passer par l'écrit.

La longue marche des classiques, du XVIIe au XXe siècle

Ce n'est que vers 1761 que Voltaire utilisera «classique» — au sens que nous lui connaissons — pour désigner ceux qui s'appelaient eux-mêmes les Modernes. Ce n'est qu'au XIXe siècle que le classicisme s'impose comme corps de doctrine et comme désignation d'un courant littéraire, au moment même où Hugo puis Gautier en refusent les règles. Après les faits, l'image, et à présent, le mythe.

Mais la critique moderne revient sur les lieux communs du discours scolaire... Classicisme, terre de contrastes, mot qui résiste aux définitions schématiques. Des œuvres plus complexes que ce que le bon goût seul aurait pu susciter. Un roi peut-être plus sombre qu'on ne l'a dit, plus hanté du sentiment morbide de la fuite du temps que de celui d'une éternelle grandeur. Et dans les trente dernières et terribles années d'un trop long règne, des aspirations de plus en plus précises vers des futurs plus lumineux.

L'œuvre de Nicolas Poussin, père de l'académisme et théoricien passionné de son art, est la synthèse de la peinture du XVIIe siècle. Il allie les compositions baroques à l'ordonnance classique, reprend la finesse d'observation des maniéristes en ajoutant l'essentiel : la sensualité. Pour lui, la peinture est «une imitation faite avec des lignes et couleurs en quelque superficie de tout ce qui se voit sous le soleil. Sa fin est la délectation.»

L a série des *Quatre Saisons* (1660-1664) est une allégorie, à partir de thèmes bibliques, de la vie humaine et de l'idéal de l'artiste. A la profusion du *Printemps*, à la gravité de *l'Été* (ci-contre) où s'aiment Ruth et Booz, à la fécondité de *l'Automne* (ci-dessous), succède le terrible *Hiver* (page 144), celui de l'âge, le déluge inquiétant, la grisaille mortelle zébrée par l'éclair glacial. Ne pouvant plus, au soir de sa vie, diversifier et raffiner le travail de son pinceau, Poussin utilise les défauts de sa main devenue malhabile en juxtaposant les touches de couleur, ce que le modernisme du XIXe siècle aura bien du mal à atteindre.

TÉMOIGNAGES
ET DOCUMENTS

D'un impromptu à l'autre,
de querelle en cabale,
au temps du Roi-Soleil
les lettres étincellent.

La Fontaine : la fable de la diversité

A tout moment de l'œuvre de La Fontaine, on rencontre les Anciens des références aux fabliaux et aux nouvelles de la France et de l'Italie médiévales et humanistes mais aussi un transfert de ces influences sur la modernité (la science moderne, les cultures exotiques, les relations de voyages, les nouveaux genres, comme l'opéra) joint à une réflexion plus profonde et plus hardie, véritable synthèse des idées philosophiques et religieuses de son temps.

Ésope, Phèdre, Ovide, et les autres...

Ardent platonicien, il défend la « douce volupté », dans Psyché, *tout en célébrant l'amour d'un Dieu très janséniste, dans la* Captivité de Saint-Marc. *Lecteur assidu, il joue avec des romans comme l'*Astrée, *des épopées comme le* Roland furieux, *et sait pourtant traduire les préoccupations des messieurs de Port-Royal. La vieillesse l'amènera finalement à choisir la piété par-delà les indulgents moments de plaisir qu'il s'octroie, par provision.*

L'art de la silhouette

L'image doit coller au réel et pas seulement l'illustrer. L'animal est d'abord la bête en elle-même, le personnage humain est individualisé, mais l'un et l'autre peuvent dans le même temps devenir des représentants de l'humanité tout entière à travers un des traits de leur caractère, de leur physionomie ou de leur morale, révélé de façon saisissante. Il s'agit de transposer, de déplacer et du même coup d'inscrire la morale dans le récit.

Comme si La Fontaine, inventant une fable, n'esquissait pas séparément un récit animalier circonstancié et une application générale, mais pensait, jusque dans les détails, le récit particulier (le fait : un chat dévore une souris) sous les traits, dans les termes, du lieu commun [...]. L'articulation entre récit et morale tend à s'effacer au profit d'une conception plus « unifiée ». On dira, pour faire bref, que la succession de deux espaces bien distincts est peu à peu remplacée par la superposition de deux lectures d'un même ensemble unifié. Renouveau qui se traduit, cette fois par une infidélité au modèle ésopique.

Patrick Dandrey, *Papers on French XVIIIth Century Literature*, n° 17, 1982.

LE LION ET LE RAT.

Il faut autant qu'on peut obliger tout le monde :
On a souvent besoin d'un plus petit que soi.
De cette vérité deux fables feront foi,
    Tant la chose en preuves abonde.
    Entre les pattes d'un lion
Un rat sortit de terre assez à l'étourdie.
Le roi des animaux, en cette occasion,
Montra ce qu'il était, et lui donna la vie.
    Ce bienfait ne fut pas perdu.
    Quelqu'un aurait-il jamais cru
    Qu'un lion d'un rat eût affaire ?
Cependant il advint qu'au sortir des forêts
    Ce lion fut pris dans des rets
Dont ses rugissements ne le purent défaire.
Sire rat accourut, et fit tant par ses dents
Qu'une maille rongée emporta tout l'ouvrage.
    Patience et longueur de temps
    Font plus que force ni que rage.

Fables, livre I, 11, 1668

PROLOGUE

A MONSEIGNEUR
LE DUC DE BOURGOGNE.
QUI AVAIT DEMANDÉ A M. DE LA FONTAINE
UNE FABLE QUI FUT NOMMÉE
« LE CHAT ET LA SOURIS »

Pour plaire au jeune prince à qui la Renommée
    Destine un temple en mes écrits,
Comment composerai-je une fable nommée
    Le Chat et la Souris ?

Dois-je représenter dans ces vers une belle
Qui douce en apparence, et toutefois cruelle,
Va se jouant des cœurs que ses charmes ont pris,
    Comme le chat et la souris ?

Prendrai-je pour sujet les jeux de la Fortune ?
Rien ne lui convient mieux, et c'est chose commune
Que de lui voir traiter ceux qu'on croit ses amis
    Comme le chat fait la souris.

Introduirai-je un roi qu'entre ses favoris
Elle respecte seul, roi qui fixe sa roue,
Qui n'est point empêché d'un monde d'ennemis,
Et qui des plus puissants, quand il lui plaît, se joue

Comme le chat de la souris ?
Mais insensiblement, dans le tour que j'ai pris,
Mon dessein se rencontre ; et si je ne m'abuse,
Je pourrais tout gâter par de longs récits.
Le jeune prince alors se jouerait de ma muse
Comme le chat de la souris.

LE VIEUX CHAT ET LA JEUNE SOURIS.

Une jeune souris de peu d'expérience
Crut fléchir un vieux chat, implorant sa clémence,
Et payant de raisons le Raminagrobis :
« Laissez-moi vivre : une souris
De ma taille et de ma dépense
Est-elle à charge en ce logis ?
Affamerais-je, à votre avis,
L'hôte et l'hôtesse, et tout leur monde ?
D'un grain de blé je me nourris ;
Une noix me rend toute ronde.
A présent je suis maigre ; attendez quelque temps ;
Réservez ce repas à messieurs vos enfants. »
Ainsi parlait au chat la souris attrapée.
L'autre lui dit : « Tu t'es trompée.
Est-ce à moi que l'on tient de semblables discours ?
Tu gagnerais autant de parler à des sourds.
Chat et vieux, pardonner ? Cela n'arrive guères.
Selon ces lois, descends là-bas,
Meurs, et va-t'en tout de ce pas
Haranguer les sœurs filandières.
Mes enfants trouveront assez d'autres repas. »
Il tint parole ; et, pour ma fable,
Voici le sens moral qui peut y convenir :
La jeunesse se flatte, et croit tout obtenir ;
La vieillesse est impitoyable.

La Fontaine,
Fables, XII

La Fontaine détourne véritablement un genre engagé dans la satire et le renvoie à sa nature première après les perversions humanistes, moralistes et oratoires pédantes, pédagogiques, édifiantes. La poésie reconquiert la morale, efface la rhétorique et le didactisme, et s'approprie le naturel autant que la saillie pittoresque.

Le monde devient lisible par ce récit en vers qui va d'étapes en étapes jusqu'aux moralités qui condensent les effets et transforment l'histoire racontée, dont on soupçonnait déjà le sens, en maximes éternelles. Parfois même, l'écart entre les maximes initiales ou finales et le récit lui-même invite à réfléchir, à reprendre le texte et à trouver d'autres sens.

L'homme de Fouquet

Décidé à soutenir Fouquet au plus profond de sa disgrâce, La Fontaine écrit cette fable à clefs, fort compréhensible au demeurant puisqu'elle met clairement en scène l'ex-surintendant et Colbert... Écrite à la suite de la chute de Fouquet, cette fable n'a pas été publiée par La Fontaine de son vivant.

LE RENARD ET L'ÉCUREUIL.

Il ne se faut jamais moquer des misérables,
Car qui peut s'assurer d'être toujours heureux ?
    Le sage Ésope dans ses fables
    Nous en donne un exemple ou deux ;
Je ne les cite point, et certaine chronique
    M'en fournit un plus authentique.
Le renard se moquait un jour de l'écureuil
Qu'il voyait assailli d'une forte tempête :
« Te voilà, disait-il, prêt d'entrer au cercueil
Et de ta queue en vain tu te couvres la tête.
    Plus tu t'es approché du faîte,
Plus l'orage te trouve en butte à tous ses coups.
Tu cherchais les lieux hauts et voisins de la foudre :
Voilà ce qui t'en prends ; moi qui cherche les trous.
Je ris, en attendant que tu sois mis en poudre. »
    Tandis qu'ainsi le renard se gabait [1],
      Il prenait maint pauvre poulet
        Au gobet [2] ;
Lorsque l'ire du ciel à l'écureuil pardonne ;
      Il n'éclaire plus, ni ne tonne,
    L'orage cesse ; et le beau temps venu.
      Un chasseur ayant aperçu
Le train de ce renard autour de sa tanière :
    « Tu paieras, dit-il, mes poulets. »
      Aussitôt nombre de bassets
      Vous fait déloger le compère ;
      L'écureuil l'aperçoit qui fuit
      Devant la meute qui le suit.
      Ce plaisir ne lui coûte guère,
Car bientôt il le voit aux portes du trépas.
      Il le voit ; mais il ne rit pas,
      Instruit par sa propre misère.

Fables

(1). Se moquait. – (2). Par surprise.

Le ton de M. de La Fontaine

Le recueil de 1678, sous la protection de Mme *de Montespan, s'intéresse plus nettement aux affaires du temps. Si le lion n'était que le puissant et le renard l'homme retors, dans le premier recueil, ils deviennent maintenant roi et courtisan. Cette fois, La Fontaine actualise la morale d'Ésope et de Phèdre, quitte à froisser les consciences. Enfin, en poursuivant son travail sur les ruptures de langue, sur l'alternance entre les récits et les dialogues, entre les vers longs et cérémonieux et les vers rapides et tranchants, en insistant sur le pittoresque et le naturel, La Fontaine invente un ton, celui d'un humain un peu las et lucidement amusé ou acerbe, figurant cet amusement par la diversité de son écriture.*

Grâce à la connaissance d'apologues indiens (Pilpay qu'il identifie au sage Loqman), rapportée par les voyageurs Bernier et Tavernier et à l'admiration qu'il nourrit pour Montaigne, l'auteur des Fables illustre l'idée que, sur terre, les forts mangent impitoyablement les faibles, en toute cruauté, tout en indiquant que les faibles stupides et grossiers sont également féroces entre eux.

Et loin des agitations violentes et vaines, l'amitié et l'intimité restent les seuls éléments purs : amour partagé, douceur du foyer, mélancolie d'un bonheur perdu ou nostalgie d'une félicité évanouie guident les pas du fabuliste jusqu'au dernier recueil.

Un hétérodoxe de l'hétérodoxie

En fait, La Fontaine montre que la réussite est toujours liée à une certaine marge d'hétérodoxie et de dissidence. Sans affronter, il biaise, s'amuse à esquiver et apparemment se cantonne à la distraction. Sous cette œuvre en forme de promenade (dans les genres mineurs, à la frontière parfois des genres plus respectables), sous cette pose, il est un observateur à l'acuité

toujours vigilante : une vigilance critique intégrée à la démarche de toute sa production. Cette constante osmose entre création poétique et vigilance critique se retrouve dans son jeu plus personnel entre la paresse épicurienne et l'inquiétude mélancolique, philosophique même, entre l'esthétique de la négligence et le soin constant de l'effet à produire dans l'écriture.

Tempérer les contraires

Ces deux directions supposent donc un art du « tempérament » constant des contraires, comme on disait alors.

Tempérament ou équilibre entre le savoir (érudition, miracle de la culture, goût de toutes les modernités philosophiques, scientifiques, géographiques, longue traque des antiquités et des textes rares) et le goût.

Tempérament ou équilibre entre culture et nature que les fables poussent à leur maximum d'effet. Les silhouettes humaines ou animales sont nourries de savoirs archaïques autant que de l'analyse des comportements humains produite par le renouveau des sciences naturelles des années 1670.

Tempérament ou équilibre enfin entre l'ébauche d'un sens (souvent contradictoire) et le souci de la manière (en soi insuffisant). La Fontaine laisse ici entendre que le sens est le produit immédiat de l'écriture et non son préalable.

C'est ainsi que, modestement retranché derrière de grands modèles anciens, le fabuliste transfigure la fable.

La fable ésopique, didactique, fondée sur la séparation entre fiction-récit et vérité-morale, est un modèle désormais dépassé.

L'apologue, chez La Fontaine, ne se limite plus à confirmer des évidences raisonnables au terme de quelque conte pour enfants : il insinue tout au long de la lecture une conception du monde sceptique ou résignée également répartie entre les composantes opposées du poème, ou plutôt jaillie de leur fructueuse rivalité ; ce n'est plus un savoir pour enfants, mais une sagesse pour adultes qui se répand dans les âmes ; et cette douce infusion n'est plus l'affaire seule du lecteur, elle est opérée par le poète lui-même dans l'insensible élaboration de son dessein : l'effet de la lecture est préparé et prévu par le travail de l'écriture. L'esthétique de la continuité, stratégie forgée grâce à un retour aux modèles anciens, constitue ainsi en même temps une méthode d'accès à un renouveau qui a totalement transfiguré le genre. De cette esthétique modestement retranchée derrière de grands modèles et vainement reprise depuis par tant d'épigones, on pourrait dire, plus sûrement que pour d'autres, qu'elle n'avait jamais eu d'exemple et devait ne point avoir, sinon d'imitateurs, du moins de dignes successeurs.

Patrick Dandrey, *op. cit.*

Les engagements de Pascal

Qu'il ait été combattant ou savant érudit, brillant polémiste ou théoricien profond, Pascal marque, avec les lettres des Provinciales *et les fragments des* Pensées, *l'histoire intellectuelle du siècle, particulièrement par la place essentielle qu'il occupe dans la grande querelle religieuse du* XVIIe *siècle opposant les partisans de Jansénius à ceux de Molina, les jansénistes aux Jésuites.*

Le problème de la grâce

*La querelle oppose les molinistes (se fondant sur la pensée de Molina, un théoricien jésuite espagnol de la deuxième moitié du XVIe siècle) et les jansénistes (se référant à l'*Augustinus *de Jansen).*

Pour les molinistes, Jésus-Christ a voulu racheter tous les hommes, la grâce est donc donnée à tous et il dépend de l'homme d'en faire un bon ou un mauvais usage, d'être sauvé ou damné, par l'exercice de son libre arbitre. Tous les hommes disposent donc de la « grâce suffisante » et peuvent choisir de la mettre ou non en œuvre. Une grande part est donc laissée à la liberté humaine.

Les jansénistes affirment que cette position oublie un peu vite les conséquences de la Chute. Par le péché originel, l'exercice fautif du libre arbitre que font Adam et Ève, et leur damnation, tous les hommes naissent damnés. L'homme est maintenant aveuglé et n'est plus en état, par lui-même, de se porter vers Dieu. Et pourtant, Dieu, dans son extrême bonté, peut sauver quelques hommes depuis que son fils Jésus est venu sur Terre pour révéler la Vraie Religion. Depuis, les hommes, grâce au baptême, peuvent, pour quelques-uns d'entre eux, échapper à la faute qui les damnait assurément.

La grâce est alors un don gratuit, inexplicable, mais jamais acquis définitivement, qui agit à un moment décidé par Dieu seul et ignoré des hommes (c'est la grâce « actuelle » opposée à la grâce « habituelle » vers laquelle les molinistes tendent).

Ainsi, pour les molinistes, à chaque fois qu'on tend à faire le bien par nos seules forces naturelles, le secours de la grâce nous est donné pour le faire de manière qui convient au Salut. Alors que, pour les jansénistes, vouloir faire le bien et mener une vie pieuse n'assure aucunement ce Salut, mais prédispose seulement à recevoir, éventuellement, la grâce.

Le chrétien dans le monde

Ce qui oppose en outre les molinistes et les jansénistes, ce sont leurs conceptions radicalement différentes de la vie chrétienne. Pour les solitaires, la vie doit être, en théorie, tournée vers la religion, afin de chercher une sorte d'anéantissement en Dieu. Le monde n'est pourtant pas à rejeter catégoriquement, et on aurait tort de faire des messieurs de complets ascètes. Cependant, il est important pour eux de marquer cette volonté d'échapper au « divertissement », ne serait-ce que pour se démarquer de leurs ennemis. La vie du monde est confiée aux puissants et aux princes, la vie religieuse reste l'essentiel.

Pour la Compagnie jésuite, fer de lance de la Contre-Réforme, aguerrie par des décennies de combat entre les thèses protestantes, l'Église doit au contraire tenir un rôle essentiel au sein des institutions monarchiques. L'Église doit représenter la pompe, l'éclat, la discipline, la séduction et l'autorité.

Honnête dialogue

Les dix premières Lettres des Provinciales *sont adressées à un « provincial », par un de ses amis, un certain Louis de Montalte, anonyme que la police se chargera de rechercher...*

Le narrateur dialogue, enquête et veut « savoir la chose au vrai » pour enfin révéler la vérité. Se prétendant neutre dans les premières lettres, il cherche seulement à recevoir des explications pour choisir raisonnablement.

Mais en fait, il organise le jeu, réunit des interlocuteurs, consulte des docteurs auxquels il expose ses doutes, reste à l'écart mais pose des questions faussement naïves, établit des objections et donne des citations à commenter.

Dans cette première galerie de portraits, ces enquêtes préliminaires, (Lettres 1 à 4), il oppose les théologiens entre eux, puis (Lettres 5 à 10) s'entretient avec un véritable casuiste jésuite qui joue le rôle du professeur (il pose des questions à l'élève pour vérifier s'il comprend bien) et semble tout avouer sans s'en rendre compte. Les adversaires sont bien les auxiliaires du discours général de persuasion.

Dans la cinquième lettre, Pascal donne donc la parole à un théologien qui l'éclaire sur le sens de l'action des Jésuites...

Sachez donc que leur objet n'est pas de corrompre les mœurs : ce n'est pas leur dessein. Mais ils n'ont pas aussi pour unique but celui de les réformer. Ce serait une mauvaise politique. Voici quelle est leur pensée. Ils ont assez bonne opinion d'eux-mêmes pour croire qu'il est utile et comme nécessaire au bien de la religion que leur crédit s'étende partout et qu'ils gouvernent toutes les consciences. Et parce que les maximes évangéliques et sévères sont propres pour gouverner quelques sortes de personnes, ils s'en servent dans des occasions où elles leur sont favorables. Mais comme ces mêmes maximes ne s'accordent pas au dessein de la plupart des gens, ils les laissent à l'égard de ceux-là, afin d'avoir de quoi satisfaire tout le monde.

C'est pour cette raison qu'ayant affaire à des personnes de toutes sortes de conditions et des nations si différentes, il est nécessaire qu'ils aient des casuistes (1) assortis à toute cette diversité.

De ce principe vous jugez aisément, que s'ils n'avaient que des casuistes relâchés, ils ruineraient leur principal dessein, qui est d'embrasser tout le monde, puisque ceux qui sont véritablement pieux cherchent une conduite plus sévère. Mais comme il n'y en a pas beaucoup de cette sorte, ils n'ont pas besoin de beaucoup de directeurs sévères pour les conduire. Ils en ont peu pour peu ; au lieu que la foule des casuistes relâchés s'offre à la foule de ceux qui cherchent le relâchement.

C'est par cette conduite obligeante et accommodante, comme l'appelle le P. Petau (2), qu'ils tendent les bras à tout le monde. Car, s'il se présente à eux quelqu'un qui soit tout résolu de rendre des biens mal acquis, ne craignez pas qu'ils l'en détournent ; ils loueront au contraire et confirmeront une si sainte résolution. Mais qu'il en vienne un autre qui veuille avoir l'absolution sans restituer ; la chose sera bien difficile, s'ils n'en fournissent des moyens dont ils se rendront les garants.

Par là ils conservent tous leurs amis, et se défendent contre tous leurs ennemis. Car, si on leur reproche leur extrême relâchement, ils produisent incontinent au public leurs directeurs austères, et quelques livres qu'ils ont faits de la rigueur de la loi chrétienne ; et les simples, et ceux qui n'approfondissent pas plus avant les choses, se contentent de ces preuves.

Ainsi, ils en ont pour toutes sortes de personnes, et répondent si bien selon ce qu'on leur demande, que, quand ils se trouvent en des pays où un Dieu crucifié passe pour folie, ils suppriment le scandale de la croix, et ne prêchent que Jésus-Christ glorieux, et non pas Jésus-Christ souffrant [...].

les *Provinciales*,
Cinquième Lettre, éd. de 1657
(Orthographe modernisée)

(1) Théologiens qui font profession de résoudre les cas de conscience.
(2) Jésuite.

L'art de persuader

Il s'agit de faire parler ceux qu'on met en scène (en particulier le deuxième jésuite des Lettres 5 à 10). « Plus je me tais plus il me dit de choses »... Parodiant le style du casuiste, le texte s'installe dans l'ironie, puis dévie en insinuations lorsque le narrateur s'exprime.

Pour persuader, Pascal a ainsi recours autant au discours de la conviction qu'à la séduction, parce qu'il sait que ses lecteurs, comme tous les hommes, « se gouvernent plus par caprice que par raison ». Plaire, « agréer », est important puisque les lecteurs sont « presque toujours emportés à croire non pas par la preuve, mais par l'agrément ». Une fois la volonté touchée, on peut en venir à la démonstration (on ne devrait jamais consentir qu'aux vérités démontrées), en visant l'« entendement », plus naturel, mais moins ordinaire.

Montalte s'avance donc masqué pour prendre ses interlocuteurs de fiction dans les pièges de la parole. Peu à peu, il se dévoile sans encore donner clairement son avis. Il laisse penser au lecteur qu'ils sont l'un et l'autre dans la même situation, celle d'un honnête homme cherchant à se faire une opinion légitime dans cette querelle. Le lecteur provincial est alors invité à participer, juger, en s'identifiant au narrateur.

Pascal se souviendra de cette manière de faire dans les Pensées *lorsqu'il énoncera cette maxime : « On se persuade mieux, pour l'ordinaire, par les raisons qu'on a soi-même trouvées, que par celles qui sont venues dans l'esprit des autres. » (Br., 10)*

Attaque frontale

Et puis, scandalisé, il éclate, et se révèle, faisant ainsi adhérer le lecteur à sa propre indignation.
Place à l'invective, au sarcasme, à la violence.

Cette fois, les Lettres 11 à 18 sont des réponses directes aux contre-attaques jésuites, le ton se veut plus grave, la fiction s'abolit et les Provinciales deviennent de brûlants pamphlets. Non, les « réponses » des Jésuites ne sont en rien fondées, non, les lettres ne raillent en rien les choses saintes, et les citations casuistes de ces premières lettres, véritable arsenal que Pascal réutilise ensuite, sont reprises, commentées, opposées encore une fois à la Bible et aux textes des Pères de l'Église, en prenant les Jésuites dans leur propre discours.

Étrange zèle, qui s'irrite contre ceux qui accusent des fautes publiques, et non pas contre ceux qui les commettent ! Quelle nouvelle charité, qui s'offense de voir confondre des erreurs manifestes par la seule exposition que l'on en fait, et qui ne s'offense point de voir renverser la morale par ces erreurs ! Si ces personnes étaient en danger d'être assassinées, s'offenseraient-elles de ce qu'on les avertirait de l'embûche qu'on leur dresse ; et, au lieu de se détourner de leur chemin pour l'éviter, s'amuseraient-elles à se plaindre du peu de charité qu'on aurait eu de découvrir le dessein criminel de ces assassins ? S'irritent-ils, lorsqu'on leur dit de ne manger pas d'une viande, parce qu'elle est empoisonnée, où de n'aller pas dans une ville, parce qu'il y a de la peste ?

D'où vient donc qu'ils trouvent qu'on manque de charité quand on découvre des maximes nuisibles à la religion, et qu'ils croient au contraire qu'on manquerait de charité de ne pas découvrir les choses nuisibles à leur santé et à leur vie, sinon parce que l'amour qu'ils ont pour la vie leur fait recevoir favorablement tout ce qui contribue à la conserver, et que l'indifférence qu'ils ont pour la vérité

fait que non seulement ils ne prennent aucune part à sa défense, mais qu'ils voient même avec peine qu'on s'efforce de détruire le mensonge ?

Qu'il considèrent donc devant Dieu combien la morale que vos casuistes répandent de toutes parts est honteuse et pernicieuse à l'Église ; combien la licence qu'ils introduisent dans les mœurs est scandaleuse et démesurée ; combien la hardiesse avec laquelle vous les soutenez est opiniâtre et violente. Et s'ils ne jugent qu'il est temps de s'élever contre de tels désordres, leur aveuglement sera aussi à plaindre que le vôtre, mes Pères, puisque et vous et eux avez un pareil sujet de craindre cette parole de saint Augustin sur celle de Jésus-Christ dans l'Évangile : Malheur aux aveugles qui conduisent ! malheur aux aveugles qui sont conduits ! Vœ cœcis ducentibus ! Vœ cœcis sequentibus !

les Provinciales,
Onzième Lettre, éd. de 1657
(Orthographe modernisée)

La science et la foi

La méthode de Pascal dans les Provinciales a quelque chose du savant qu'il est. Il veut comprendre, et pour cela, il utilise le raisonnement auquel il a habituellement recours. Le respect du fait observé, de l'expérience, le besoin de la vérification sont pour lui essentiels. Il oppose la vérité aux erreurs, fonde toute sa démarche (au moins en apparence) sur la raison et le bon sens et s'oppose ainsi au discours d'autorité auquel, bien souvent, recourent les Jésuites. Certains sujets, en effet, « tombent sous le sens ou sous le raisonnement : l'autorité y est inutile ; la raison seule a lieu d'en connaître. » A ce niveau, *l'autorité peut être nuisible, voire dangereuse.*

Cependant, lorsqu'il est question d'histoire, de géographie et de jurisprudence mais surtout de théologie, toutes matières « qui ont pour principe, ou le fait simple, ou l'institution divine ou humaine, il faut nécessairement recourir à leurs livres, puisque tout ce que l'on peut savoir y est contenu. » (Préface pour le Traité du vide)

Seule l'Écriture livre donc la vérité. Et de même qu'il a un devoir pour l'homme de science à informer, à faire savoir, il y a une obligation pour le chrétien à porter la bonne parole.

Ce double principe l'entraîne ainsi à attaquer les thèses casuistes qui se fient à l'autorité dans un domaine où elle n'a pas lieu de s'appliquer. En outre, leur recours à l'autorité se fonde non pas sur l'Écriture, mais sur les textes casuistes eux-mêmes et leurs références contestables. Le scandale est alors la substitution d'une fausse autorité à une véritable, celle de la Bible.

Les *Provinciales* ne cessent d'intéresser, parce qu'elles mettent en lumière un fait incompréhensible, qui est la responsabilité humaine, ou plutôt l'incapacité dans laquelle on est de l'établir jamais. Le procès des *Provinciales* n'est pas celui de la casuistique de quelques Jésuites égarés, mais celui de toute tentative morale qui voudrait se fonder sur la liberté humaine. C'est dire que le procès est loin d'être clos ; et qu'à la question posée par Pascal on n'a pas encore donné de réponse satisfaisante.

Clément Rosset,
Introduction aux Provinciales,
J.-J. Pauvert, 1964.

Pascal, les *Pensées*, fragments : en marche vers l'apologétique

Le chrétien sévère et sincère qu'on était venu chercher pour s'engager dans la polémique est devenu un farouche écrivain, un combattant dont les connaissances théologiques ne sont plus à mettre en doute. Les « petites lettres » l'engagent à poursuivre : il faut porter la parole divine, faire fructifier les dons de persuasion qu'il vient de révéler. Il aspire à se faire apôtre, avec ses propres moyens, sans vouloir convertir, il cherchera à préparer la conversion, nécessaire don de Dieu...

« Les hommes n'ayant pu guérir la mort, la misère, l'ignorance, ils se sont avisés, pour se rendre heureux, de n'y point penser. » (Br., 168)

Pour toucher ceux qu'il veut convaincre, Pascal entend partir de leur nature, puis de leur situation commune.

Ces hommes, comme tous les autres, ne peuvent rester seuls avec eux-mêmes de peur de sentir leur néant, leur vide. Afin de ne pas découvrir cette misère, les hommes se détournent de leur condition, n'y veulent plus penser et s'agitent, se jettent dans les activités les plus diverses, des métiers aux plus hautes fonctions, des recherches scientifiques aux occupations les plus futiles : ils sont dans le divertissement, « la seule chose qui nous console de nos misères [...] et [...] la plus grande de nos misères » (Br., 183).

Que l'homme contemple donc la nature entière dans sa haute et pleine majesté, qu'il éloigne sa vue des objets bas qui l'environnent. Qu'il regarde cette éclatante lumière mise comme une lampe éternelle pour éclairer l'univers, que la terre lui paraisse comme un point au prix du vaste tour que cet astre décrit, et qu'il s'étonne de ce que ce vaste tour lui-même n'est qu'une pointe très délicate à l'égard de celui que ces astres, qui roulent dans le firmament, embrassent. Mais si notre vue s'arrête là que l'imagination passe outre, elle se lassera plutôt de concevoir que la nature de fournir. Tout le monde visible n'est qu'un trait imperceptible dans l'ample sein de la nature. Nulle idée n'en approche, nous avons beau enfler nos conceptions au-delà des espaces imaginables, nous n'enfantons que des atomes au prix de la réalité des choses. C'est une sphère infinie dont le centre est partout, la circonférence nulle part. Enfin c'est le plus grand caractère sensible de la toute-puissance de Dieu que notre imagination se perde dans cette pensée.

Que l'homme étant revenu à soi considère ce qu'il est au prix de ce qui est, qu'il se regarde comme égaré, et que de ce petit cachot où il se trouve logé, j'entends l'univers, il apprenne à estimer la terre, les royaumes, les villes, les maisons et soi-même, son juste prix.

Qu'est-ce qu'un homme, dans l'infini ?

Mais pour lui présenter un autre prodige aussi étonnant, qu'il recherche dans ce qu'il connaît les choses les plus délicates, qu'un ciron [1] lui offre dans la petitesse de son corps des parties incomparablement plus petites, des jambes avec des jointures, des veines dans ses jambes, du sang dans ses veines, des humeurs dans ce sang, des gouttes dans ces humeurs, des vapeurs dans ces gouttes, que divisant encore ces dernières choses il épuise ses forces en ces conceptions et que le dernier objet où il peut arriver soit maintenant celui de notre discours. Il pensera peut-être que c'est là l'extrême petitesse de la nature.

Je veux lui faire voir là-dedans un abîme nouveau. Je lui veux peindre non seulement l'univers visible, mais l'immensité qu'on peut concevoir de la nature dans l'enceinte de ce raccourci d'atome, qu'il y voie une infinité d'univers, dont chacun a son firmament, ses planètes, sa terre, en la même proportion que le monde visible, dans cette terre des animaux, et enfin des cirons dans lesquels il retrouvera ce que les premiers ont donné, et trouvant encore dans les autres la même chose sans fin et sans repos, qu'il se perdra dans ces merveilles aussi étonnantes dans leur petitesse, que les autres par leur étendue, car qui n'admirera que notre corps, qui tantôt n'était pas perceptible dans l'univers imperceptible lui-même dans le sein du tout, soit à présent un colosse, un monde ou plutôt un tout à l'égard du néant où l'on ne peut arriver. Qui se considérera de la sorte s'effraiera de soi-même, et, se considérant soutenu dans la masse que la nature lui a donnée entre ces deux abîmes de l'infini et du néant, il tremblera dans la vue de ces merveilles et je crois que sa curiosité se changeant en admiration, il sera plus disposé à les contempler en silence qu'à les rechercher avec présomption.

Car enfin qu'est-ce que l'homme dans la nature ? Un néant à l'égard de l'infini, un tout à l'égard du néant, un milieu entre rien et tout, infiniment éloigné de comprendre les extrêmes ; la fin des choses et leurs principes sont pour lui invinciblement cachés dans un secret impénétrable.

Également incapable de voir le néant d'où il est tiré et l'infini où il est englouti.

Que fera-t-il donc sinon d'apercevoir quelque apparence du

milieu des choses dans un désespoir éternel de connaître ni leur principe ni leur fin ? Toutes choses sont sorties du néant et portées jusqu'à l'infini. Qui suivra ces étonnantes démarches ? L'auteur de ces merveilles les comprend. Tout autre ne le peut faire.

Pensées, Br., 72, 1669

(1) Insecte considéré alors comme le plus petit animal visible.

La sagesse de Dieu

L'homme de Pascal est bien l'homme d'après la Chute, l'homme augustinien, grand et faible à la fois. Un homme abandonné qui n'est plus dans l'état où Dieu l'a créé. Et c'est une lecture précise de l'Écriture qui permettra de comprendre son histoire propre, c'est par elle que l'homme peut entrevoir ce qu'il est aujourd'hui. Ainsi, cette lecture a permis de révéler à l'homme ses « contrariétés » et sa misère qui l'empêche de songer à la mort et au salut et qui le détourne de chercher Dieu. A ce stade, si le lecteur est vraiment impliqué, il est plongé dans le malaise, voire dans l'effroi. Il aspire à la vérité.

L'art de persuader

Le projet de Pascal est presque paradoxal : pour convaincre les mondains de la nécessité de la foi, il doit dire la foi en termes mondains. D'où une réflexion permanente, dans les Pensées, *sur l'art du langage, c'est-à-dire l'éloquence, dont la suprême habileté consiste à toujours s'effacer.*

L'éloquence est un art de dire les choses de telle façon : 1° que ceux à qui l'on parle puissent les entendre sans peine et avec plaisir ; 2° qu'ils s'y sentent intéressés, en sorte que l'amour-propre les porte plus volontiers à y faire réflexion.

Elle consiste donc dans une correspondance qu'on tâche d'établir entre l'esprit et le cœur de ceux à qui l'on parle d'un côté, et de l'autre les pensées et les expressions dont on se sert ; ce qui suppose qu'on aura bien étudié le cœur de l'homme pour en savoir tous les ressorts, et pour trouver ensuite les justes proportions du discours qu'on veut y assortir. Il faut se mettre à la place de ceux qui doivent nous entendre, et faire essai sur son propre cœur du tour qu'on donne à son discours, pour voir si l'un est fait pour l'autre, et si l'on peut s'assurer que l'auditeur sera comme forcé de se rendre. Il faut se renfermer, le plus qu'il est possible, dans le simple naturel ; ne pas faire grand ce qui est petit, ni petit ce qui est grand. Ce n'est pas assez qu'une chose soit belle, il faut qu'elle soit propre au sujet, qu'il n'y ait rien de trop ni rien de manque.

Pensées, Br., 16, 1669

« Dieu s'est voulu cacher. » (Br., 585)

En s'appuyant sur l'Écriture, en expliquant, par exemple, que toutes les prophéties sont vraies et se sont réalisées, si on sait bien les comprendre, Pascal prouve maintenant que la religion chrétienne est vraie face aux autres. Mais on ne peut donner la foi, Dieu ne peut, contrairement à ce que dit Descartes, être prouvé « rationnellement ». Dieu est caché, parce qu'il s'est voulu tel, après la Chute. Il n'est pas visible à tous, et lorsqu'il semble visible, il peut se cacher à nouveau.

C'est ainsi qu'il faut se convertir, pour se détourner de soi-même et se tourner vers Dieu. En cessant de s'aimer soi-même par-dessus tout, en cessant de se cacher sa propre

66 Après tant de marques de piété, ils ont encore la persécution, qui est la meilleure des marques de la piété. 99 (*Pensées*, 782)

vacuité et son insuffisance, l'homme doit convenir qu'il faut aimer Dieu. Par un effort pour se soustraire à l'amour de soi, par un effort pour se laisser envahir par l'amour de Dieu, effort toujours renouvelé, l'homme doit se préparer à recevoir la grâce, en désirant la recevoir, sans garantie aucune de l'intervention divine.

Et pourtant, une persuasion humaine ne suffit pas. Ce à quoi Pascal veut arriver en définitive, c'est la conversion de son lecteur. Mais il sait que ce but est impossible à atteindre par les seules forces humaines : c'est Dieu qui donne la grâce de la conversion. L'apologie est pour Pascal une entreprise nécessaire : ce n'est que de cette manière qu'il peut répondre à sa vraie vocation ; pourtant, elle est en fin de compte inutile,

puisqu'elle est incapable d'atteindre son seul véritable but. Peut-être faut-il voir là, la cause de cette tension permanente qu'on sent à chaque page des *Pensées* : ce n'est pas le chant de joie d'un homme qui a trouvé la vérité et qui veut faire partager sa certitude, c'est plutôt, semble-t-il, le cri tragique de celui qui sait où est la vérité, qui fait son possible pour la faire reconnaître, mais qui ne se cache pas la profonde vanité de sa tentative. L'apologiste sait qu'il ne peut pas donner la foi, qu'il n'est qu'un serviteur de la grâce de Dieu, et un serviteur inutile.

Michel et Marie-Rose Le Guern,
Les Pensées *de Pascal, de l'anthropologie à la théologie*, Larousse, 1972

Corneille : héros, amour et politique

Rome change de visage. Lieu privilégié de l'action héroïque, Rome incarnait, depuis Horace et Cinna, le lieu de l'héroïsme et de la gloire cornéliens. Or la situation a changé, il n'y a plus à Rome de roi légitime, plus de pouvoir monarchique préservé. Les généraux s'affrontent dans une lutte implacable pour être au premier rang.

Dans Sertorius (1662), l'un d'entre eux, le héros désigné, Sertorius, général romain, n'est plus de ceux qui, dans les pièces antérieures à la Fronde, alliaient honneur et vertu avec un dynamisme incomparable : Sertorius est âgé, las, « condamné d'avance, pris dans l'intrigue politique et amoureuse » (Robert Brasillach), usé autant par les ans que par l'abus de l'action politique. L'amour lui-même n'est pas un refuge puisqu'il est compromis par la politique.

L'amour se venge de la politique mais il reste extérieur à toute forme de désir ou de sensualité. Sertorius accepte mal cette nouvelle distribution des valeurs : « Que c'est un cruel sort d'aimer par politique. » (I, 3, v. 370)

Rodrigue avait gagné dans l'ordre de l'amour et dans l'ordre de l'État. Sertorius perdra des deux côtés. Dans un univers qui refusait le change, le héros gagnait deux fois. Dans un monde soumis aux lois du change, le héros perd deux fois.

Michel Prigent,
le Héros et l'État dans la tragédie de Pierre Corneille, PUF, 1986

Cette fois, la faiblesse du héros vertueux est évidente, il ne peut espérer l'honneur et le pouvoir en même temps. Aussi, dans un État qui sombre dans la guerre civile, le héros qui croit dans la vertu comme fondement de son autorité politique doit se séparer du lieu et clamer sa légitimité propre.

« Rome n'est plus dans Rome, elle est toute où je suis. »

Je n'appelle plus Rome un enclos de
[murailles
Que ces proscriptions comblent de
[funérailles ;
Ces murs dont autrefois le destin fut si
[beau,

Rome divisée sans la clémence d'Auguste.

N'en sont que la prison, ou plutôt le
[tombeau.

Sertorius, acte III, sc. 1.

Sertorius incarne en même temps la
grandeur du héros et la grandeur de
Rome : la nature tragique du
personnage est due au fait qu'il incarne
ces deux grandeurs non dans Rome
mais hors de Rome. [...] *Sertorius*
marque une étape décisive dans la
réflexion et l'évolution de Corneille :
elle apporte la certitude que la
grandeur héroïque ne peut pas survivre
à la mort du héros. Telle est la
conséquence d'un engagement
politique total du héros lorsqu'il
échoue. Auguste, après Horace, sauvait
le héros et l'État : le salut héroïque et le
salut politique participaient d'une
même conception de la grandeur.
Sertorius ne sauve ni le héros ni la
vision héroïque de l'État : le héros et
l'État héroïque meurent ensemble
tandis que naît un autre État qui ne doit
rien au héros et qui s'est constitué
contre lui.

Michel Prigent, *op. cit.*

Viriate, reine de Lusitanie, veut épouser Sertorius pour assurer la gloire de sa patrie. L'amour de Perpenna, second de Sertorius, vient tout empêcher. Bien qu'aimant Viriate, Sertorius, en reconnaissance de l'aide que son lieutenant lui a apportée, consent à seconder ses feux. Dans cette scène Sertorius avoue à Thamire, dame d'honneur de Viriate, qu'il aime sa maîtresse : un soupir l'a trahi lorsqu'elle lui avouait son amour et son ambition...

THAMIRE

Seigneur, quand un Romain, quand un Heros soûpire
Nous n'entendons pas bien ce qu'un soûpir veut dire,
Et je vous servirois de meilleur truchement,
Si vous vous expliquiez un peu plus clairement.
Je sçay qu'en ce climat, que vous nommez Barbare,
L'amour, par un soûpir quelquefois se declare,
Mais la gloire qui fait toutes vos passions
Vous met trop au dessus de ces impressions,
De tels desirs trop bas pour les grands cœurs de Rome...

SERTORIUS·

Ah, pour estre Romain, je n'en suis pas moins homme.
J'aime, et peut-estre plus qu'on n'a jamais aimé,
Malgré mon âge et moy mon cœur s'est enflâmé,
J'ai crû pouvoir me vaincre, et toute mon adresse
Dans mes plus grands efforts m'a fait voir ma foiblesse.
Ceux de la Politique et ceux de l'amitié,
M'ont mis en un estat à me faire pitié,
Le souvenir m'en tue, et ma vie incertaine
Dépend d'un peu d'espoir que j'attens de la Reine,
Si toutefois...

THAMIRE

           Seigneur, elle a de la bonté,
Mais je voy son esprit fortement irrité,
Et si vous m'ordonnez de vous parler sans feindre,
Vous pouvez esperer, mais vous avez à craindre,
N'y perdez point de temps, et ne negligez rien,
C'est peut-estre un dessein mal ferme que le sien.

Sertorius, acte IV, sc. I. (1662)

Suréna, la mort du héros

Le Roi tyrannique, en se privant de son meilleur appui et en usant du crime, opère un véritable suicide. Les leçons implicites que dégage *Suréna* affirment autant l'inanité d'une politique matrimoniale tyrannique que le danger de régner par la peur ou le crime. Un prince doit ne tenir son pouvoir que de lui-même. Il ne doit rien redouter d'un loyal sujet, mais asseoir son autorité sur la certitude d'un ordre incontesté. Admettre l'hypothèse d'une injustice est le commencement de l'abdication, puisque c'est se reconnaître mené et dominé par l'événement.

Dans cette dialectique continue entre l'humanité et l'héroïsme, il n'y a pas de véritable abdication. L'opposition entre la nature et le devoir se résout, à l'époque du *Cid* ou de *Cinna*, dans un dépassement de soi. La nature n'était pas niée, mais transcendée. Mais lorsque le devoir n'est pas l'issue possible d'un Ordre plus beau que le bonheur, le sacrifice est pure abdication de la nature. C'est le cas de *Rodogune* à *Héraclius* ; plus le héros enfin s'attachera à sa nature sensible et sentira le goût de cendres du sacrifice ou l'incertitude de l'Ordre auquel il devrait l'accomplir, plus il sentira la vanité de l'effort qui romprait le cercle infernal. Eurydice, plus attachée que Suréna à ce qui survit de l'optimisme héroïque essaie encore d'agir. Suréna, lucide, tente moins de dénouer une situation absurde que de la juger. Le héros doit se contenter désormais de dénoncer les progrès de l'injustice et de l'intérêt.

La hautaine protestation de *Suréna* ne pouvait être que la dernière manifestation cornélienne de l'héroïsme.

André Stegmann,
*l'Héroïsme cornélien, genèse
et signification*, Armand Colin, 1968

Suréna, général des Parthes et Eurydice, princesse d'Arménie s'aiment et se sont juré fidélité. Or Eurydice doit épouser le fils du roi des Parthes, Pacorus, et Suréna la fille du même Orode, Mandane. Bien qu'amoureux de Palmis, la sœur de Suréna, Pacorus ne peut supporter de voir Eurydice aimer un autre homme. Il tue Suréna, pourtant seul soutien du trône. Eurydice mourra de douleur.

SURÉNA

Quoy, vous vous figurez que l'heureux nom de gendre,
Si ma perte est jurée, a dequoy m'en défendre,
Quand malgré la Nature, en dépit de ses loix,
Le parricide a fait la moitié de nos Rois ?
Qu'un frére pour régner se baigne au sang d'un frére ?
Qu'un fils impatient prévient la mort d'un pére ?
Nostre Orode luy-mesme où seroit-il sans moy ?
Mithradate pour luy montroit-il plus de foy ?
Croyez-vous Pacorus bien plus seur de Phradate ?
J'en connoy mal le cœur, si bientost il n'éclate,
Et si de ce haut rang, que j'ay veu éblouyr,
Son pére et son aisné peuvent long-temps jouyr.
Je n'auray plus de bras alors pour leur défense,

Car enfin mes refus ne font pas mon offense,
Mon vray crime est ma gloire, et non pas mon amour,
Je l'ay dit, avec elle il croistra chaque jour.
Plus je les serviray, plus je seray coupable,
Et s'ils veulent ma mort, elle est inévitable.
Chaque instant que l'Hymen pourroit la reculer
Ne les attacheroit qu'à mieux dissimuler,
Qu'à rendre sous l'appas d'une amitié tranquille
L'attentat plus secret, plus noir, et plus facile.
Ainsi dans ce grand nœud chercher ma seureté
C'est inutilement faire une lascheté,
Souiller en vain mon nom, et vouloir qu'on m'impute
D'avoir ensévely ma gloire sous ma cheute.
Mais Dieux, se pourroit-il qu'ayant si bien servy
Par l'ordre de mon Roy le jour me fust ravy ?
Non, non, c'est d'un bon œil qu'Orode me regarde,
Vous le voyez, ma sœur, je n'ay pas mesme un Garde,
Je suis libre.

PALMIS

Et j'en crains d'autant plus son couroux ;
S'il vous faisoit garder, il répondroit de vous.
Mais pouvez-vous, Seigneur, réjoindre vostre Suite ?
Êtes-vous libre assez pour choisir une fuite ?
Garde-t-on chaque porte à moins d'un grand dessein ?
Pour en rompre l'effet, il ne faut qu'une main.
Par toute l'amitié que le sang doit attendre,
Par tout ce que l'amour a pour vous de plus tendre.

SURÉNA

La tendresse n'est point de l'amour d'un Héros,
Il est honteux pour luy d'écouter des sanglots,
Et parmy la douceur des plus illustres flâmes,
Un peu de dureté sied bien aux grandes ames.

PALMIS

Quoy ! vous pourriez...

SURÉNA

Adieu, le trouble où je vous voy
Me fait vous craindre plus que je ne crains le Roy.

Suréna, Acte V, sc. 3

La dramaturgie classique
et le problème du vraisemblable

Corneille, dans trois Discours *de 1660 sur le théâtre tragique, accompagnés des* Examens *des pièces qu'il publiait en même temps, reprend ce problème en partant naturellement de la* Poétique *d'Aristote.*

« Il faut, dit-il, qu'il suive un de ces trois moyens de traiter les choses et qu'il les représente ou comme elles ont été, ou comme on dit qu'elles ont été, ou comme elles ont dû être. » : par où il lui donne le choix ou de la vérité historique ou de l'opinion commune sur quoi la fable est fondée ou de la vraisemblance. Il ajoute ensuite : « Si on le reprend de ce qu'il n'a pas écrit les choses dans la vérité, qu'il réponde qu'il les a écrites comme elles ont dû être ; si on lui impute de n'avoir fait ni l'un ni l'autre, qu'il se défende sur ce qu'en publie l'opinion commune, comme en ce qu'on raconte des Dieux, dont la plus grande partie n'a rien de véritable. » Et un peu plus bas : « Quelquefois ce n'est pas le meilleur qu'elles se soient passées de la manière qu'il décrit ; néanmoins elles se sont passées effectivement de cette manière », et par conséquent il est hors de faute. Ce dernier passage montre que nous ne sommes point obligés de nous écarter de la vérité pour donner une meilleure forme aux actions de la tragédie par les ornements de la vraisemblance, et le montre d'autant plus fortement qu'il demeure pour constant, par le second de ces trois passages, que l'opinion commune suffit pour nous justifier quand nous n'avons pas pour nous la vérité, et que nous pourrions faire quelque chose de mieux que ce que nous faisons, si nous recherchions les beautés de cette vraisemblance. Nous courons par là quelque risque d'un plus faible succès, mais nous ne péchons que contre le soin que nous devons avoir de notre gloire, et non pas contre les règles du théâtre.

Je fais une seconde remarque sur ces termes de vraisemblance et de nécessaire, dont l'ordre se trouve quelquefois renversé chez ce philosophe, qui tantôt dit « selon le nécessaire ou le vraisemblable », et tantôt « selon le vraisemblable ou le nécessaire ». D'où je tire une conséquence, qu'il y a des occasions où il faut préférer le vraisemblable au nécessaire et d'autres où il faut préférer le nécessaire au vraisemblable. La raison en est que ce qu'on emploie le dernier dans les propositions alternatives y est placé comme un pis-aller, dont il faut se contenter quand on ne peut arriver à l'autre, et qu'on doit faire effort pour le premier avant que de se réduire au second, où l'on n'a droit de recourir qu'au défaut de ce premier.

Pour éclaircir cette préférence mutuelle du vraisemblable au nécessaire, et du nécessaire au vraisemblable, il faut distinguer deux choses dans les actions qui composent la tragédie. La première consiste en ces actions mêmes, accompagnées des inséparables circonstances du temps et du lieu, et l'autre en la liaison qu'elles ont ensemble, qui les fait naître l'une de l'autre. En la première, le vraisemblable est à préférer au nécessaire, et le nécessaire au vraisemblable dans la seconde.

Corneille, *Discours de la tragédie*

Molière : les combats du comique

Jean-Baptiste Poquelin est d'abord homme de théâtre, chef de troupe et auteur à l'occasion. Et les luttes qu'il mène, malgré leur intensité, ne peuvent qu'être modérées par le souci constant qu'il a de poursuivre son rôle de directeur de théâtre.

La querelle de *l'École des femmes* (1662-1664) : une lutte très littéraire

Utilisant la structure classique de la comédie, héritée de l'Antiquité et de la comédie italienne (un vieux barbon, des jeunes gens, un stratagème pour se moquer du premier et faire triompher les seconds), reprenant le thème banal de la jalousie du vieillard (traité par tant d'auteurs et par lui-même, illustré par Scarron dans une nouvelle, la Précaution inutile, elle-même tirée de l'italien et de l'espagnol, déjà adaptée pour le théâtre par Montfleury, et promise à un brillant avenir avec Beaumarchais...), Molière fait la synthèse des genres comiques à la mode. La farce grossière se combine avec la comédie plus sensible, l'intrigue mécanique avec les digressions morales et la satire éternelle avec les piques plus actuelles.

Les deux troupes

Il n'en faut pas plus pour qu'un conflit d'abord professionnel éclate entre les troupes parisiennes. Entre l'hiver 1662 et le printemps 1664, on ne va parler que de la querelle de l'École des femmes. Ce n'est d'ailleurs pas la première fois que les troupes de l'Hôtel de Bourgogne et du Palais-Royal s'opposent. Les Grands Comédiens acceptent mal qu'un nouveau venu vienne s'installer sur la scène parisienne. Les Italiens et le Marais suffisaient bien !

Face à cette intransigeance. Molière répond en imitant les grands personnages dans les salons qu'il fréquente et en faisant mourir de rire l'assistance qui adore ce genre de petites haines. Dans les Précieuses ridicules, il les avait brocardés, au point que cette respectable troupe demanda à la sévère Anne d'Autriche d'interdire au « baron de la Crasse » de jouer à la Cour.

Devant le succès des représentations du mois de janvier 1663, leur haine (doublée de leur crainte) est à son comble, on vise pêle-mêle le poète imparfait, l'acteur bouffon, l'homme cocufié et peut-être incestueux, l'impie.

Contre-attaque modérée

Le parti de Molière contre-attaque, Henriette d'Angleterre accepte la dédicace, le roi pensionne l'auteur, les libelles et les défenses fusent ainsi que les pièces parodiques. Les Grands Comédiens ont pour eux le vieux Corneille qui ne voit pas d'un mauvais œil l'éreintement d'un rival, et font donner de jeunes écrivains qui jugent que leur carrière est au prix de ces attaques. La Critique de l'École des femmes, en juin 1663, fournit une première réponse cinglante. Devant l'accusation de ne pas respecter les règles, Molière affirme que la première règle est de plaire et d'avoir du succès, d'ailleurs, n'en a-t-il pas ?

Aux accusations sur le manque de vraisemblance et de nécessité, Molière répond point par point, avec le didactisme brillant du personnage sympathique, Dorante : Arnolphe présente bien un caractère « uni », les jeux de scène sont « naturels », comme les lieux, les gens qui se reconnaissent sont ceux qui ont le mauvais esprit, ou l'outrecuidance, de le faire, et ceux qui se plaignent de la grossièreté farcesque des propos sont des hypocrites ou des obsédés. Les « larmes niaises » ont bien le droit de « faire rire tout le monde », et l'on peut être « ridicule en de certaines choses et honnête homme en d'autres », la variété du monde en témoigne ! D'ailleurs il est vrai que personne n'est dupe, il s'agit bien d'une jalousie professionnelle !

Les dévots, les comédiens hautains, les doctes et les petits marquis en sont pour leurs frais : les voilà stigmatisés à l'intérieur même d'une comédie qui les représente. La preuve est faite par le théâtre : le public en est ravi, ce qui conforte la position théorique de Molière. Si l'École des femmes offre à la fois une pièce et la représentation synthétique des styles de comédie liées dans une « rhapsodie » comique, la Critique de l'École des femmes met en scène la République des Lettres et ses débats. Subtilement, Molière dédicace sa Critique à la reine mère, et par ce simple fait, ne s'autorise pas à répondre sur le terrain dangereux de l'impiété... ce sera pour plus tard, avec Tartuffe.

Agnès expose ici à Arnolphe, en toute candeur, comment un charmant galant est venu la courtiser...

AGNÈS

Le lendemain, étant sur notre porte,
Une vieille m'aborde en parlant de la sorte :
« Mon enfant, le bon Dieu puisse-t-il vous bénir,
Et dans tous vos attraits longtemps vous maintenir !
Il ne vous a pas faite une belle personne
Afin de mal user des choses qu'il vous donne.
Et vous devez savoir que vous avez blessé
Un cœur qui de s'en plaindre est aujourd'hui forcé. »

ARNOLPHE, *à part.*

Ah ! suppôt de Satan, exécrable damnée !

AGNÈS

« Moi, j'ai blessé quelqu'un ? fis-je tout étonnée.
— Oui, dit-elle, blessé tout de bon ;
Et c'est l'homme qu'hier vous vîtes au balcon.
— Hélas ! qui pourrait, dis-je, en avoir été cause ?
Sur lui, sans y penser, fis-je choir quelque chose ?
— Non, dit-elle, vos yeux ont fait ce coup fatal,
Et c'est de leurs regards qu'est venu tout son mal.
— Hé ! mon Dieu ! ma surprise est, fis-je, sans seconde :
Mes yeux ont-ils du mal pour en donner au monde ?
— Oui, fit-elle, vos yeux, pour causer le trépas,
Ma fille, ont un venin que vous ne savez pas :
En un mot, il languit, le pauvre misérable ;
Et s'il faut, poursuivit la vieille charitable,
Que votre cruauté lui refuse un secours,
C'est un homme à porter en terre dans deux jours.
— Mon Dieu ! j'en aurais, dis-je, une douleur bien grande.
Mais, pour le secourir, qu'est-ce qu'il me demande ?
— Mon enfant, me dit-elle, il ne veut obtenir
Que le bien de vous voir et vous entretenir ;
Vos yeux peuvent, eux seuls, empêcher sa ruine,
Et du mal qu'ils ont fait être la médecine.
— Hélas ! volontiers dis-je, et, puisqu'il est ainsi,
Il peut tant qu'il voudra me venir voir ici. »

ARNOLPHE, *à part.*

Ah ! sorcière maudite, empoisonneuse d'âmes,
puisse l'enfer payer tes charitables trames !

AGNÈS

Voilà comme il me vit et reçut guérison.
Vous-même à votre avis, n'ai-je pas eu raison,
Et pouvais-je, après tout, avoir la conscience
De le laisser mourir faute d'une assistance,
Moi qui compatis tant aux gens qu'on fait souffrir,
Et ne puis sans pleurer voir un poulet mourir ?

ARNOLPHE, *bas.*

Tout cela n'est parti que d'une âme innocente,
Et j'en dois accuser mon absence imprudente,
Qui sans guide a laissé cette bonté de mœurs
Exposée aux aguets des rusés séducteurs.

l'École des femmes, acte II, sc. 5

Mais la violence de la cabale continue, et l'Impromptu de Versailles *répond à cette suite. Cette fois, Molière donne à voir sa troupe. Les comédiens jouent leur propre rôle et sont là pour répéter une pièce écrite « en huit jours » à la demande du roi : un impromptu. En mimant l'improvisation et la précipitation, l'auteur de l'*École des femmes *se défend une fois de plus dans l'*Impromptu de Versailles *et se place sous le regard du roi bienveillant.*

« Faire rire les honnêtes gens »

A travers ces trois pièces, il définit donc son public : les « honnêtes gens », qu'ils soient de la Cour ou de la ville, pourvu qu'ils ne soient pas d'étroits doctes ou des privilégiés imbéciles ou orgueilleux. Les commerçants et les nobles peuvent s'y reconnaître, et le roi, qui aime tant s'amuser, les préférera aux ennuyeux savants et aux tristes dévots...

La comédie est placée sous le double signe de la pratique et du naturel. Elle devient une arme redoutable pour dénoncer le mal, l'anti-nature, l'imposture d'un faux père devenu vrai barbon. Il ne s'agit pas de promouvoir une théorie constituée, monolithique, de la comédie, mais d'offrir au public un certain nombre de pièces qui l'amusent, hétérogènes. L'art poétique doit se plier à la pratique du théâtre et les faiseurs de théories sont à mettre en question : leurs fâcheux carcans déterminent bien des pratiques aberrantes que le public, seul juge, après tout, sanctionne sèchement.

DORANTE

Vous croyez donc, Monsieur Lysidas, que tout l'esprit et toute la beauté sont dans les poèmes sérieux, et que les pièces comiques sont des niaiseries qui ne méritent aucune louange ?

URANIE

Ce n'est pas mon sentiment, pour moi. La tragédie, sans doute, est quelque chose de beau quand elle est bien touchée ; mais la comédie a ses charmes, et je tiens que l'une n'est pas moins difficile à faire que l'autre.

DORANTE

Assurément, Madame ; et quand, pour la difficulté, vous mettriez un plus du côté de la comédie, peut-être que vous ne vous abuseriez pas. Car enfin, je trouve qu'il est bien plus aisé de se guinder sur de grands sentiments, de braver en vers la Fortune, accuser les Destins, et dire des injures aux Dieux, que d'entrer comme il faut dans le ridicule des hommes, et de rendre agréablement sur le théâtre des défauts de tout le monde. Lorsque vous peignez des héros, vous faites ce que vous voulez. Ce sont des portraits à plaisir, où l'on ne cherche point de ressemblance ; et vous n'avez qu'à suivre les traits d'une imagination qui se donne l'essor, et qui souvent laisse le vrai pour attraper le merveilleux. Mais lorsque vous peignez les hommes, il faut peindre d'après nature. On veut que ces portraits ressemblent ; et vous n'avez rien fait, si vous n'y faites reconnaître les gens de votre siècle. En un mot, dans les pièces sérieuses, il suffit, pour n'être point blâmé, de dire des choses qui soient de bon sens et bien écrites ; mais ce n'est pas assez dans les autres, il faut plaisanter ; et c'est une étrange entreprise que celle de faire rire les honnêtes gens.

la Critique de l'École des femmes, *sc. 6*

La querelle de *Tartuffe* (1664-1669) : le bouffon s'oppose aux dévots

La première bataille d'importance est donc gagnée grâce à l'appui du roi. Molière est entre-temps devenu auteur et non plus poète de troupe, puisqu'il publie, en 1663, la première édition de ses Œuvres. Son crédit ne cesse de s'accroître à mesure que le roi installe son pouvoir politique.

Le 12 mai 1664, devant la Cour réunie pour partager les Plaisirs de l'île enchantée, on joue les trois premiers actes de l'histoire d'un escroc qui, pour mieux réussir, se pare de l'austère vêtement de la dévotion. Tartuffe, personnage « chimérique » et très réel pourtant, fait rire le roi et scandalise les bonnes âmes. Très vite, la Compagnie du Saint-Sacrement, groupe de pression dévot très lié à la reine mère, fait donner l'archevêque de Paris qui répond au beau nom d'Hardouin de Péréfixe : la pièce, une fois terminée, serait une horreur !

Tartuffe est interdit.

Molière a beau présenter un premier Placet au Roi, Louis XIV, pourtant fort bienveillant lorsqu'il s'agit d'attaquer ceux qui réprouvent sa conduite, est encore incapable d'imposer sa volonté devant la cabale et devant Anne d'Autriche.

Pendant ce temps, et grâce aux lectures qu'il fait devant Monsieur et dans certains salons, Molière termine sa pièce.

A la Cour, on voit d'un assez bon œil cette attaque du parti dévot. Les directeurs de conscience laïcs, sans être fort nombreux, n'en existent pas moins et se mêlent de diriger la vie des familles bourgeoises ou des nobles repentis. Entraînée par le fougueux courant contre-réformiste, l'Église autorise l'existence d'un certain nombre de prêtres qui ne figurent dans aucune institution, capables du meilleur, mais bien souvent du pire... C'est le moment des bâtards ; de curieux personnages mi-prêtres, mi-laïcs, intermédiaires, venus d'on ne sait où, hantent les âmes. Des histoires, semblables à la mésaventure d'Orgon se racontent à Paris.

Quant au parti dévot, il gêne de plus en plus la puissance royale. Ses tendances ultramontaines (plus fidèles à Rome qu'au roi), son opposition à toute forme de libéralisme moral, le contre-pouvoir qu'il occupe, se traduisant parfois par des troubles civils, comme en Normandie, en 1658, ne plaident pas en sa faveur. Pour devenir « sans égal », Louis doit reléguer ceux qui estiment devoir régir sa conscience et celle de son peuple.

De l'espoir au triomphe

La reine mère s'éteint, et avec elle la « vieille Cour ». Les dévots, fervents adeptes de la Contre-Réforme, ne cessent de faire pression sur le roi, mais Louis XIV semble échapper à leurs injonctions.

Molière veut en profiter un peu trop tôt : décidé par les paroles sybillines du souverain partant pour la guerre des Flandres, et en son absence, Molière fait jouer l'Imposteur au Palais-Royal. Le lendemain, 6 août 1667, la pièce est interdite par le premier président de Lamoignon, et le 11 août, Hardouin de Péréfixe interdit à ses diocésains de représenter, lire ou entendre réciter l'Imposteur. Poquelin reprend la lutte, donne des représentations privées (entre autres à Chantilly, chez Condé, toujours acquis à Molière), va voir Lamoignon, rédige un nouveau placet, envoie deux comédiens à Lille auprès du roi qui ne reviennent qu'avec le report du seul interdit de Péréfixe.

La pièce ne peut être jouée que le 5 février 1669, et c'est un immense triomphe.

Le public, bien sûr, cherche des clefs, on chante au Pont-Neuf que Gabriel de Roquette, prédicateur célèbre et évêque d'Autun, est particulièrement visé pour son caractère mondain et ses conquêtes féminines. Les confrères écrivains se rappellent d'autres pièces antérieures, en particulier chez les satiriques normands et des nouvelles, dont celle de Scarron, les Hypocrites. Les chroniqueurs insistent sur la haine que porte Molière à la Compagnie, depuis que le prince de Conti, d'abord protecteur de la troupe en province, s'est converti, conviennent du fait que la querelle de l'École des femmes avait manqué porter sur ces problèmes (en particulier à cause de la parodie qu'il fait des Dix Commandements), et prennent bien souvent Molière en flagrant délit de blasphème ou d'irrévérence.

Les dévots ne sont pas seuls visés

Cependant, à mesure qu'on relit le texte, on s'aperçoit qu'il ne porte pas uniquement sur la Compagnie du Saint-Sacrement, mais sur l'hypocrisie en matière de morale et de religion. Les Jésuites y reconnaissent les jansénistes, et les jansénistes reconnaissent les Jésuites, les confrères de la Compagnie s'excluent de la satire parce qu'ils ne sont pas des gueux, comme Tartuffe, ni des aventuriers, comme lui... En fait, c'est tout un courant de pensée issu de la Contre-Réforme que Molière dénonce, en s'appuyant sur la morale naturelle et la raison.

La preuve est faite que la religion peut servir de parure trompeuse. Son discours même peut être trompeur, lorsqu'il allie le sublime chrétien et la sensualité mondaine. Et les « honnêtes gens » de la haute et de la moyenne bourgeoisie, cherchant sincèrement leur salut et la perfection, doivent déjouer de tels pièges s'ils veulent échapper à ce qui emporte Orgon.

Le seul rempart est le roi, magnanime (il pardonne les fautes de la Fronde), vigilant,
aidé d'une justice efficace et d'une police fidèle. Grâce à lui, et au ressort théâtral du retournement brusque de situation (Rex ex machina ?), Tartuffe est puni et la comédie s'achève en une fin heureuse. Orgon, le bourgeois honnête en mal d'absolu, retrouve sa femme et ses biens, mais la question religieuse reste en suspens.

Le théâtre et l'hypocrisie

Aucun ensemble ne symbolise mieux l'impatience de l'homme en face des problèmes de la vérité que le théâtre de Molière. Aucun n'est aussi riche en tentatives de duperies, qu'accompagnent les mouvements inverses de démystification. Aucun n'est aussi riche en tentatives d'imposition d'une réalité fictive, qu'accompagnent les mouvements inverses de révoltes « raisonnables ». Aucun n'est aussi riche en tentatives désespérées de révéler la vérité, ou de la noyer au contraire dans les folles tentatives de s'imposer une nature nouvelle. *Tartuffe* occupe dans cet ensemble une place privilégiée, car le problème y est posé dans les termes les plus généraux et les plus simples.

En choisissant l'hypocrite comme centre d'une nouvelle comédie, Molière a réussi, avec *Tartuffe*, à exprimer l'essence même du théâtre par les moyens du théâtre. L'hypocrite et sa dupe forment un couple dont chaque membre est le symétrique de l'autre. Trompeur et trompé permettent d'exploiter toutes les combinaisons possibles des quatre moments du jeu de la vérité dans les rapports humains : le mensonge, la sincérité, l'illusion, la connaissance.

Jacques Guicharnaud,
Molière, une aventure théâtrale,
Gallimard, 1963

Dans cette scène de l'acte IV, on assiste à la deuxième déclaration de Tartuffe à Elmire, la femme d'Orgon, hôte décidément bienveillant. Afin de convaincre Oronte de la fausseté de Tartuffe, Elmire a demandé à son mari de se cacher sous la table, pendant que l'odieux personnage se déclare...

ELMIRE,

après avoir toussé pour avertir son mari.

Quoi ! vous voulez aller avec cette vitesse,
Et d'un cœur tout d'abord épuiser la tendresse ?
On se tue à vous faire un aveu des plus doux ;
Cependant ce n'est pas encore assez pour vous ?
Et l'on ne peut aller jusqu'à vous satisfaire,
Qu'aux dernières faveurs on ne pousse l'affaire ?

TARTUFFE

Moins on mérite un bien, moins on l'ose espérer.
Nos vœux sur des discours ont peine à s'assurer.
On soupçonne aisément un sort tout plein de gloire,
Et l'on veut en jouir avant que de le croire.
Pour moi, qui crois si peu mériter vos bontés,
Je doute du bonheur de mes témérités ;
Et je ne croirai rien, que vous n'ayez, madame,
Par des réalités, su convaincre ma flamme.

ELMIRE

Mon Dieu ! que votre amour en vrai tyran agit !
Et qu'en un trouble étrange il me jette l'esprit !
Que sur les cœurs il prend un furieux empire !
Et qu'avec violence il veut ce qu'il désire !
Quoi ! de votre poursuite on ne peut se parer,
Et vous ne donnez pas le temps de respirer ?
Sied-il bien de tenir une rigueur si grande,
De vouloir sans quartier les choses qu'on demande.
Et d'abuser ainsi, par vos efforts pressants,
Du faible que pour vous vous voyez qu'ont les gens ?

TARTUFFE

Mais si d'un œil bénin vous voyez mes hommages,
Pourquoi m'en refuser d'assurés témoignages ?

ELMIRE

Mais comment consentir à ce que vous voulez,
Sans offenser le ciel dont toujours vous parlez ?

I

TARTUFFE

Si ce n'est que le ciel qu'à mes vœux on oppose,
Lever un tel obstacle est à moi peu de chose ;
Et cela ne doit pas retenir votre cœur.

ELMIRE

Mais des arrêts du ciel on nous fait tant de peur !

TARTUFFE

Je puis vous dissiper ces craintes ridicules,
Madame, et je sais l'art de lever les scrupules,
Le ciel défend, de vrai, certains contentements,
Mais on trouve avec lui des accommodements.
Selon divers besoins, il est une science
D'étendre les liens de notre conscience,
Et de rectifier le mal de l'action
Avec la pureté de notre intention.
De ces secrets, madame, on saura vous instruire ;
Vous n'avez seulement qu'à vous laisser conduire.
Contentez mon désir, et n'ayez point d'effroi ;
Je vous réponds de tout, et prends le mal sur moi.

Elmire tousse plus fort.

Vous toussez fort, madame.

ELMIRE

Oui, je suis au supplice.

TARTUFFE

Vous plaît-il un morceau de ce jus de réglisse ?

ELMIRE

C'est un rhume obstiné, sans doute ; et je vois bien
Que tous les jus du monde ici ne feront rien.

TARTUFFE

Cela, certes, est fâcheux.

ELMIRE

Oui, plus qu'on ne peut dire.

TARTUFFE

Enfin votre scrupule est facile à détruire.
Vous êtes assurée ici d'un plein secret,
Et le mal n'est jamais que dans l'éclat qu'on fait.
Le scandale du monde est ce qui fait l'offense,
Et ce n'est pas pécher que pécher en silence.

ELMIRE

après avoir encore toussé et frappé sur la table.

Enfin je vois qu'il faut se résoudre à céder ;
Qu'il faut que je consente à vous tout accorder ;
Et qu'à moins de cela je ne dois point prétendre
Qu'on puisse être content, et qu'on veuille se rendre.
Sans doute il est fâcheux d'en venir jusque-là,
Et c'est bien malgré moi que je franchis cela ;
Mais, puisque l'on s'obstine à m'y vouloir réduire,
Puisqu'on ne veut point croire à tout ce qu'on peut dire
Et qu'on veut des témoins qui soient plus convaincants,
Il faut bien s'y résoudre et contenter les gens.
Si ce consentement porte en soi quelque offense,
Tant pis pour moi qui me force à cette violence :
La faute assurément n'en doit point être à moi.

TARTUFFE

Oui, madame, on s'en charge ; et la chose de soi...

ELMIRE

Ouvrez un peu la porte, et voyez, je vous prie,
Si mon mari n'est point dans cette galerie.

TARTUFFE

Qu'est-il besoin pour lui du soin que vous prenez ?
C'est un homme, entre nous, à mener par le nez.
De tous nos entretiens il est pour faire gloire,
Et je l'ai mis au point de voir tout sans rien croire.

ELMIRE

Il n'importe. Sortez, je vous prie, un moment ;
Et partout là dehors voyez exactement.

Tartuffe, acte IV, sc. 5, 1669

Dom Juan aux multiples facettes

Entre l'interdiction de 1664 et la représentation de 1669, il faut pourtant que la troupe vive. Les reprises des comédies du répertoire, les comédies de Scarron et les quelques tragédies de Corneille ne suffisent pas à attirer le public. Le Palais-Royal accueille alors un jeune acteur. Pour sa première pièce, la Thébaïde, Jean Racine profite de l'affrontement avec Corneille sur le sujet d'Œdipe (succès mitigé). Il fera jouer aussi Alexandre le Grand en décembre 1665, avant de se fâcher avec Molière en confiant aux deux théâtres de Paris l'unique soin de représenter Andromaque et en entraînant avec lui la Du Parc... La réputation du Palais-Royal n'est décidément pas bonne en matière de tragédie.

Place donc à une comédie originale, et rapidement écrite : le 15 février 1665, on joue Dom Juan ou le Festin de pierre.

Malgré un grand succès, la pièce est retirée après six représentations : sans intervention claire et officielle, on peut sans risque conclure à une interdiction. Dom Juan ne sera jamais rejoué du vivant de l'auteur : trop dangereux, trop fort, irrégulier dans tous les domaines...

Utilisant la vogue du sujet, montrant qu'il peut profiter des nombreuses pièces précédentes et les dépasser, Molière se permet en effet de contrecarrer les règles de la comédie (pas d'unités de temps, de lieu, d'intrigue, c'est l'histoire d'une fuite romanesque, le long d'un chemin, puis d'un affrontement impie, entre autres questions) et de mettre en scène des arguments particulièrement sensibles en un moment où les dévots l'attaquent. Les éléments de farce rejoignent les diatribes philosophiques, l'influence espagnole et la tradition française se fondent, au point que les commentateurs se perdent dans la complexité de ces cinq actes.

Le héros est jeune, désinvolte, élégant, séduisant et représente l'excès libertin. Grand seigneur, il est le féodal qui renvoie le créditeur bourgeois, le pauvre diable de monsieur Dimanche, bafoue la morale paternelle, se heurte à Dieu, qui est, après tout, le seul ennemi qu'il juge à sa taille. Ce qui sort de la vraisemblance des autres ne l'horrifie pas mais le rend curieux : les mathématiques, la science, les domaines interdits et dangereux l'attirent. Une statue qui s'invite à dîner est plus conçue comme un phénomène à observer que comme un avertissement de Dieu. Cependant Dom Juan n'est pas une plaidoirie en faveur d'un athée, le personnage est cruel et corrompu. Hypocrite, il partage les idées d'un certain Tartuffe sur la vie sociale, en décidant, pour vivre ses excès en paix de présenter une apparence dévote.

Sganarelle, son valet, qui mêle la foi, la croyance et la superstition, s'indigne à plaisir devant la modernité de pensée de ce jeune homme de la jeune Cour.

La comédie bouffonne, provocatrice intervient donc sur le terrain religieux, au point que le coup de tonnerre final, qui envoie Dom Juan dans les Enfers est une mesure théâtrale, parodique, marquée par les plaintes d'un valet qui ne pense qu'à réclamer ses gages. Dom Juan *venge* Tartuffe, *mais s'en trouve interdit.*

Dans la première scène de la pièce, Sganarelle explique à Gusman, le valet d'Elvire (que Dom Juan vient d'épouser en la détournant de sa vocation religieuse, puis d'abandonner) quel genre d'homme est son maître...

SGANARELLE. – Eh ! mon pauvre Gusman, mon ami, tu ne sais pas encore, crois-moi, quel homme est Dom Juan.

GUSMAN. – Je ne sais pas, de vrai, quel homme il peut être, s'il faut qu'il nous ait fait cette perfidie ; et je ne comprends point comme après tant d'amour et tant d'impatience témoignée, tant d'hommages pressants, de vœux, de soupirs et de larmes, tant de lettres passionnées, de protestations ardentes et de serments réitérés, tant de transports enfin et tant d'emportements qu'il a fait paraître, jusqu'à forcer, dans sa passion, l'obstacle sacré d'un convent, pour mettre Done Elvire en sa puissance, je ne comprends pas, dis-je, comme, après tout cela, il aurait le cœur de pouvoir manquer à sa parole.

SGANARELLE. – Je n'ai pas grande peine à le comprendre, moi ; et si tu connaissais le pèlerin, tu trouverais la chose assez facile pour lui. Je ne dis pas qu'il ait changé de sentiments pour Done Elvire, je n'en ai point de certitude encore : tu sais que, par son ordre, je partis avant lui, et depuis son arrivée il ne m'a point entretenu ; mais, par précaution, je t'apprends, *inter nos,* que tu vois en Dom Juan, mon maître, le plus grand scélérat que la terre ait jamais porté, un enragé, un chien, un diable, un Turc, un hérétique, qui ne croit ni Ciel, ni Enfer, ni loup-garou, qui passe cette vie en véritable bête brute, un pourceau d'Épicure, un vrai Sardanapale, qui ferme l'oreille à toutes les remontrances qu'on lui peut faire, et traite de billevesées tout ce que nous croyons. Tu me dis qu'il a épousé ta maîtresse : crois qu'il aurait plus fait pour sa passion, et qu'avec elle il aurait encore épousé toi, son chien et son chat. Un mariage ne lui coûte rien à contracter ; il ne sert point d'autres pièges pour attraper les belles, et c'est un épouseur à toutes mains. Dame, demoiselle, bourgeoise, paysanne, il ne trouve rien de trop chaud ni de trop froid pour lui ; et si je te disais le nom de toutes celles qu'il a épousées en divers lieux, ce serait un chapitre à durer jusques au soir. Tu demeures surpris et changes de couleur à ce discours ; ce n'est là qu'une ébauche du personnage, et pour en achever le portrait, il faudrait bien d'autres coups de pinceau. Suffit qu'il faut que le courroux du Ciel l'accable quelque jour ; qu'il me vaudrait bien mieux d'être au diable que d'être à lui, et qu'il me fait voir tant d'horreurs, que je souhaiterais qu'il fût déjà je ne sais où. Mais un grand seigneur méchant homme est une terrible chose ; il faut que je lui sois fidèle, en dépit que j'en aie : la crainte en moi fait l'office du zèle, bride mes sentiments, et me réduit d'applaudir bien souvent à ce que mon âme déteste. Le voilà qui vient se promener dans ce palais : séparons-nous. Écoute au moins : je t'ai fait cette confidence avec franchise, et cela m'est sorti un peu bien vite de la bouche ; mais s'il fallait qu'il en vînt quelque chose à ses oreilles, je dirais hautement que tu aurais menti.

Dom Juan, acte V, sc. I.

Conserver l'appui de la Cour, sans renoncer tout à fait

Devant ces deux interdictions, Molière est aux abois, il faut de nouvelles pièces. L'Amour médecin « *proposé, fait, appris et réalisé en cinq jours* », *fera l'affaire, on risque moins à se moquer des disciples d'Hippocrate que des contemporains du Christ. D'ailleurs, même si l'on en profite pour régler quelques haines personnelles, on ne fait que respecter une tradition qui date du Moyen Âge. Le Médecin malgré lui, en 1666, poursuit cette veine, suivi de bien d'autres pièces où les médecins sont ridiculisés (jusqu'à la dernière, le Malade imaginaire, 1673). Les spectacles ne peuvent pourtant pas se contenter d'une seule petite pièce, aussi Molière reprend sa série de personnages « chimériques » avec l'Alceste du Misanthrope (janvier 1666), pour la première partie de ses représentations. Sûr du succès des farces, données en seconde partie, il se risque à écrire une comédie sans bouffonnerie majeure.*

La comédie, une affaire sérieuse ?

Barbe et moustaches rasées, pour la première fois depuis longtemps, ne gardant du bouffon que le vert de ses somptueux rubans, en habit de grand seigneur, provocant même, Molière décide d'apparaître en pleine gloire pour jouer Alceste. Ainsi, Alceste est désigné comme un familier de ses spectateurs, un jeune homme noble et amoureux perdu au milieu de jeunes aristocrates hypocrites, ce qui le rend, finalement, risible.

Son exigence de vérité, devenue obsession, l'empêche de composer avec le monde et son ami « raisonnable », Philinte, plus cynique et plus prompt à vivre avec son temps, ne pourra le détourner de sa conduite suicidaire. Les mœurs du siècle en ont fait un « atrabilaire », colérique individu en butte à une véritable maladie. Célimène, une jolie coquette qui voit clairement les caractères de ses contemporains et fait profession de s'en moquer, l'a mis à ses genoux. Enfin, il choisit de sortir de scène après un « ouf ! » ambigu, lorsqu'il s'aperçoit que tous rient de lui, et que le public n'est pas de son côté.

Alceste annonce ici à son ami, plus conciliant envers le monde, que les conventions hypocrites des hommes sont à proscrire tout de bon...

PHILINTE

Mais sérieusement, que voulez-vous qu'on fasse ?

ALCESTE

Je veux qu'on soit sincère, et qu'en homme d'honneur
On ne lâche aucun mot qui ne parte du cœur.

PHILINTE

Lorsqu'un homme vous vient embrasser avec joie,
Il faut bien le payer de la même monnoie,
Répondre comme on peut à ses empressements,
Et rendre offre pour offre, et serments pour serments.

ALCESTE

Non, je ne puis souffrir cette lâche méthode
Qu'affectent la plupart de vos gens à la mode ;
Et je ne hais rien tant que les contorsions
De tous ces grands faiseurs de protestations,
Ces affables donneurs d'embrassades frivoles,
Ces obligeants diseurs d'inutiles paroles,
Qui de civilités avec tous font combat,
Et traitent du même air l'honnête homme et le fat.
Quel avantage a-t-on qu'un homme vous caresse,
Vous jure amitié, foi, zèle, estime, tendresse,
Et vous fasse de vous un éloge éclatant,
Lorsqu'au premier faquin il court en faire autant ?
Non, non, il n'est point d'âme un peu bien située
Qui veuille d'une estime ainsi prostituée ;
Et la plus glorieuse a des régals peu chers,
Dès qu'on voit qu'on nous mêle avec tout l'univers :
Sur quelque préférence une estime se fonde,
Et c'est n'estimer rien qu'estimer tout le monde.
Puisque vous y donnez, dans ces vices du temps,
Morbleu ! vous n'êtes pas pour être de mes gens ;
Je refuse d'un cœur la vaste complaisance
Qui ne fait de mérite aucune différence ;
Je veux qu'on me distingue ; et, pour le trancher net,
L'ami du genre humain n'est point du tout mon fait.

PHILINTE

Mais, quand on est du monde, il faut bien que l'on rende
Quelques dehors civils que l'usage demande.

ALCESTE

Non, vous dis-je ; on devrait châtier sans pitié
Ce commerce honteux de semblants d'amitié.
Je veux que l'on soit homme, et qu'en toute rencontre
Le fond de notre cœur dans nos discours se montre,
Que ce soit lui qui parle, et que nos sentiments
Ne se masquent jamais sous de vains compliments.

le Misanthrope, acte I, sc. I, 1667

En vain vérité cherchée ?

*Faute de pouvoir s'orienter vers une
critique frontale d'un certain nombre de
travers sociaux, faute de pouvoir participer
à un débat politique en partant de*
*l'esthétique, Molière décide de renforcer sa
critique morale en fouillant les types, en
jouant sur la complexité des caractères.
Alceste devient alors un héroïque guerrier
contemporain, un Dom Garcie actualisé,*

tout aussi colérique, tout aussi jaloux, et qui plus est sans recours. Une Elvire bienveillante a cédé sa place à une Célimène réservée à son égard, voire énigmatique. Plus loin que l'observation banale que la société est mensonge absolu, Molière offre le spectacle d'un homme qui ne peut admettre que la vérité n'existe pas, ou qu'elle soit relative. Alceste subit la passion de la vérité, vérité impossible qu'il ne cesse de chercher et qu'il croit posséder jusqu'à ce qu'elle lui échappe ou qu'elle le crucifie. Pathétique et comique à la fois, il est drôle et pitoyable de jalousie, il entraîne à sourire du monde de la Cour, et choque par son intransigeance, à moins qu'il fasse rire... ou réfléchir.

L'avarice éternelle et les avares du temps

Pour l'Avare, Molière part de schémas classiques et d'une intrigue déjà bien traitée par Plaute dans l'Aululuria et par les auteurs comiques qui le précèdent (Boisrobert, Chappuzeau). Représenter en 1668 un avare volé est au moins aussi banal que de monter un Amphitryon (janvier 1668) ! Mais si Amphitryon renouvelle la pièce mythologique de fête et la comédie à machines, faisant l'apologie d'un monarque vainqueur, jouant sur des tons différents et développant cette particularité par la pratique du vers libre, l'Avare dépasse la comédie morale ou satirique.

Harpagon n'est pas un personnage éternel, ou pas seulement, c'est un personnage archaïque. Ce bourgeois fasciné par la récente abondance de l'or se mesure aux nouveaux codes sociaux qu'il doit apprendre et partager s'il veut se remarier. La jeunesse dispendieuse qu'aimerait s'offrir Harpagon, tout occupée de son apparence brillante, demande le sacrifice le plus terrible, celui de l'argent. Écartelé entre ces deux désirs (posséder la jeunesse et conserver l'or), l'avare fait rire, surtout

lorsqu'il est manipulé par un valet qui se joue de lui.

Mais l'Avare est un échec sans appel auprès de la réussite de George Dandin (juillet 1668) et d'Amphitryon. Molière qui aime le succès, ne serait-ce que pour nourrir sa troupe, se tourne alors vers le genre à la mode, le ballet, qu'il mêle à la tragédie (les Amants magnifiques) et à la comédie (Psyché, comédie en musique, en collaboration avec Corneille, Quinault et Lully, Monsieur de Pourceaugnac en 1669 et le Bourgeois gentilhomme en 1670, le Malade imaginaire en 1673, trois comédies-ballets). Jusqu'en 1672, Molière est de toutes les fêtes royales et doit s'entendre avec les plus grands artistes du moment, sans compter le maître de la musique, Jean-Baptiste Lully. C'est justement le pouvoir absolu du Florentin qui détermine à la fois la brouille et la disgrâce de Molière : les chanteurs et les danseurs du Palais-Royal représenteront le Malade Imaginaire sur une musique de Charpentier.

Après les Fourberies de Scapin et la Comtesse d'Escarbagnas, Molière revient à l'étude de mœurs avec les Femmes savantes, en 1672. Les salons féminins où se rencontrent gens de lettres et gens du monde sont visés. Molière connaît fort bien ce dont il parle, lui qui joue aux bouts-rimés dans les grands hôtels littéraires, et, encore une fois, il se moque des excès, des grandes digressions cartésiennes à la sauce galante, des sonnets pompeux et affligeants d'un Trissotin (l'abbé Cotin, ami de d'Aubignac et déjà adversaire de Molière durant la querelle de l'École des femmes), bien plus brocardés que les « femmes » éponymes. La meilleure cible est en effet ces cercles littéraires mondains qui sombrent dans le cartésianisme à la mode, mal digéré, et cordialement détesté par Molière, Boileau et leurs amis.

Racine, des sonnets de *Phèdre* à la mort d'*Athalie*

Une cabale de grande ampleur, animée par les partisans de Pradon, auteur la même année d'une « Phèdre et Hyppolyte », se développa dès la première « Phèdre ». Un sonnet circula, parfaitement injurieux, que les amis de Racine attribuèrent (à tort) au duc de Nevers et qu'ils attaquèrent directement dans un second sonnet bâti sur les mêmes rimes.

Dans un fauteuil doré, Phèdre, tremblante et blême,
Dit des vers où d'abord personne n'entend rien
La nourrice lui fait un sermon fort chrétien
Contre l'affreux dessein d'attenter à soi-même.

Hippolyte la hait presque autant qu'elle l'aime.
Rien ne change son air, ni son chaste maintien.
La nourrice l'accuse ; elle s'en punit bien.
Thésée a pour son fils une rigueur extrême.

Une grosse Aricie au cuir noir, aux crins blonds,
N'est là que pour montrer deux énormes tétons
Que, malgré sa froideur, Hippolyte idolâtre.

Il meurt enfin, traîné par des coursiers ingrats,
Et Phèdre, après avoir pris de la mort-aux-rats,
Vient en se confessant mourir sur le théâtre.

Après l'intégralité du sonnet que les Nevers, Mme Deshoulières, Segrais et Benserade font courir dans tout Paris, en | *1667, voici la réponse des amis (?) de Racine visant le duc de Nevers lui-même :*

Dans un palais doré, Damon, jaloux et blême,
Fait des vers où jamais personne n'entend rien.
Il n'est ni courtisan, ni guerrier, ni chrétien,
Et souvent, pour rimer, il s'enferme lui-même.

La Muse, par malheur, le hait autant qu'il l'aime ;
Il a d'un franc poète et l'air et le maintien.
Il veut juger de tout et n'en juge pas bien ;
Il a pour le Phébus une tendresse extrême.

Une sœur vagabonde, aux crins plus noirs que blonds,
Va par tout l'univers promener deux tétons,
Dont, malgré son pays, Damon est idolâtre.

Il se tue à rimer pour ses lecteurs ingrats.
L'*Énéide*, à son goût, est de la mort-aux-rats,
Et, selon lui, Pradon est le roi du théâtre.

Quel besoin a-t-on de frapper le duc de Nevers dans un sonnet, en le traitant d'incestueux, en se moquant d'une sœur qui n'a rien à voir dans la cabale, et en s'étonnant que les mœurs d'un Italien de naissance ne soient pas, inévitablement, homosexuelles ! Le poète rimailleur et roturier se croit-il tout permis parce qu'au faîte de sa gloire ? Cela mérite bien le bâton. Racine (qu'il a fallu convaincre de ne pas s'attribuer le sonnet, et Boileau (bien plus prudent) ont toutes les peines du monde à prouver leur innocence. Encore une fois, Condé intervient pour eux... On assurera néanmoins, dans d'autres bouts-rimés composés sur le même modèle, que Despréaux reçut quelques coups.

Fin janvier, l'incident est clos, et Boileau peut publier son Epître VII, à M. Racine (février 1677), et le glorifier, au détriment de Pradon, en le faisant passer pour un génie offensé, victime de médiocres envieux, ce que la tradition retiendra.

Les combats de *Phèdre...*

La tragédie de Phèdre n'a pas fini de faire parler d'elle. Très vite (dès 1680), elle devient pièce du répertoire de la toute nouvelle Comédie-Française, et représente, pour les siècles à venir, la pièce classique de référence.

Cependant, le thème n'est pas nouveau. Comme pour la plupart des tragédies, l'intrigue a été maintes fois traitée depuis Euripide (Hippolyte porte-couronne, 428 av. J.-C.) et Sénèque (Phèdre). Garnier, en 1573, Gilbert, en 1645, Bidar, en 1675, et, on l'a vu, Pradon hésitent à suivre la violence de Sénèque (en particulier dans les confrontations entre Phèdre et son beau-fils Hippolyte) ou les ruses d'Euripide (pas de confrontation entre Phèdre et Thésée, ou Phèdre et Hippolyte). Certains essaient même d'édulcorer le thème de l'inceste en faisant de Phèdre la simple fiancée de Thésée...

La violence et les bienséances

Racine adopte une position moyenne dans cette tradition : il recentre le sujet sur les souffrances de Phèdre, sur sa passion incestueuse qu'elle combat et qui pourtant la trahit. Position extrême car le thème est brutal : l'inceste est là, affreux, présent. Mais la formulation reste bienséante, l'esthétique tragique classique est sauve.

Le titre initial (qui était auparavant Phèdre et Hippolyte) se consacre au personnage essentiel (Phèdre), les unités de temps (une journée, le temps de l'urgence et de l'inquiétude, de l'attente angoissée) et de lieu (Trézène, lieu unique, étouffant) sont respectées sans peine et sans invraisemblances. L'unité d'action est inattaquable.

En fait, Racine va jusqu'au bout des contraintes tragiques pour les rendre véritablement signifiantes.

Le lieu, par exemple, est unique, mais c'est un espace de liaison, placé entre les appartements des personnages qui doivent impérativement choisir cette pièce-là, neutre, sorte de no man's land, pour communiquer. C'est le lieu des principales tragédies de Racine, le lieu de Bérénice, seul espace où l'on peut essayer de communiquer quand partout ailleurs la communication est impossible. Les appartements des personnages ouvrent sur cette pièce où tout se passe, pour une cérémonie tragique retrouvée, une cérémonie du langage, de la communication difficile mais tentée, de l'expression poétique comme de la souffrance. Et là s'élève un chant, parfois mélancolique (Bérénice), parfois violent, ou dolent, le chant de Phèdre.

L'enchaînement tragique

L'intrigue, comme dans beaucoup de tragédies, en particulier celles de Racine, est une longue chaîne amoureuse. Dans Andromaque, Oreste aimait Hermione, qui aimait Pyrrhus, qui aimait Andromaque, qui, elle, aimait Hector, mort à Troie. Ici, Thésée, monarque absolu implacable et autoritaire, détenant un droit de vie et de mort sur ses sujets, aime Phèdre, qui malgré elle, aime Hippolyte, son beau-fils. Hippolyte aime Aricie que Thésée a condamnée au célibat : leur amour réciproque, galant contrepoint de la passion de Phèdre qui persécute un amour innocent, se trouve lui aussi frappé d'interdit.

Ainsi, en bout de chaîne, les interdits empêchent les systèmes résolutifs des pastorales d'antan. Hector était mort, Hippolyte aime ailleurs et meurt, Aricie ne peut aimer Hippolyte parce que Thésée est un tyran. La structure ne peut alors que rendre compte de ce blocage en condamnant les personnages à exprimer leurs souffrances, puis à mourir.

De la crise à la catastrophe

Résistant à son amour incestueux, par l'éloignement et la prière, Phèdre a su faire exiler Hippolyte, mais le hasard, ou le destin, les réunit à nouveau. Partant pour la guerre, Thésée confie Phèdre et Aricie à la garde d'Hippolyte... La tragédie, comme toutes les tragédies, s'ouvre sur une crise. La fausse annonce de la mort de Thésée ouvre la succession (Aricie, Hippolyte et Phèdre et son propre fils sont en droit de régner), déclenche les aveux interdits (celui de Phèdre à Hippolyte et les aveux d'Hippolyte et d'Aricie) et les luttes politiques, mais une péripétie (le retour de Thésée) opère un coup de théâtre qui renverse la structure, accélère l'action et l'entraîne vers la catastrophe finale : Œnone (la confidente de Phèdre liée à sa maîtresse par un attachement excessif, hors des lois et des valeurs essentielles), Hippolyte (l'innocent condamné) et Phèdre (consciente de son désir autant que de sa lutte) meurent tour à tour.

Catharsis

Toute la gamme des émotions tragiques est convoquée dans cette intrigue.

Devant le couple « galant » Hippolyte-Aricie, l'émotion du spectateur renvoie à celle qu'il a éprouvée en voyant ces pastorales ou ces tragi-comédies où de doux jeunes gens aimants s'entretiennent de leur amour et attendent un subterfuge heureux pour vivre en paix. Mais ici, le subterfuge ne vient pas, le coup de théâtre est tragique : l'amour pur et sans pouvoir est persécuté par l'horreur de la passion.

Devant Thésée, le spectateur ressent terreur et pitié. Terreur pour son implacable tyrannie, pour sa passion qui s'appuie sur son pouvoir, pitié pour son amour impossible et son destin malheureux.

Pour Phèdre, il conçoit pitié, terreur et horreur pour cette passion déchirante, interdite, infernale, thème essentiel aux tragédies de Racine.

Devant ce déchaînement des passions, il est alors guidé vers une interprétation morale que la préface consacre : « Les passions n'y sont représentées aux yeux que pour montrer tout le désordre dont elles sont causes [...]. C'est là proprement le but que tout homme qui travaille pour le public doit se proposer. »

L'aveu de Phèdre

En rappelant à Hippolyte les prouesses d'un Thésée qu'elle croit disparu, Phèdre ne peut se défendre de lui avouer sa passion incestueuse... C'est cette scène que Jean-Louis Barrault commente avec lyrisme et précision lorsqu'il envisage de la mettre sur le théâtre :

Elle va être contre lui. Aussitôt, comprenant trop bien, Hippolyte fait deux bonds en arrière ; elle se tait et son visage se ferme immédiatement. Hippolyte est arrivé contre la rampe aux deux tiers vers la gauche. Phèdre

est debout, là au milieu du premier plan gauche.

Ce qu'a dégagé cette période, c'est une sensualité extrême. La féminité de Phèdre s'épanouit jusqu'aux limites de la décence. Par un subterfuge habile et perfide, on ne sait plus si elle parle pour elle-même en se mettant à la place d'Ariane ; on ne sait si elle se joue d'Hippolyte, si elle est sincère. On sait du moins qu'elle déploie tout son charme, qu'elle tente sensuellement de l'envoûter. Pour être la plus troublante, elle vient de tout troubler. L'air est tout humide de ses images, de ses pensées, de sa démarche souple et ondulée, de sa voix roucoulante et ouatée. Sa peau brille de chaleur, la paume de ses mains est moite. L'air est embaumé de son odeur ; on perçoit presque le « goût » qu'elle a. Elle vient de « sécréter » toute sa réserve de séduction.

Jean-Louis Barrault,
Mise en scène de Phèdre, © Seuil, 1946

PHÈDRE

Oui, Prince, je languis, je brûle pour Thésée.
Je l'aime, non point tel que l'ont vu les enfers,
Volage adorateur de mille objets divers,
Qui va du dieu des morts déshonorer la couche,
Mais fidèle, mais fier, et même un peu farouche,
Charmant, jeune, traînant tous les cœurs après soi,
Tel qu'on dépeint nos dieux, ou tel que je vous vois.
Il avait votre port, vos yeux, votre langage,
Cette noble pudeur colorait son visage,
Lorsque de notre Crète il traversa les flots,
Digne sujet des vœux des filles de Minos.
Que faisiez-vous alors ? Pourquoi, sans Hippolyte,
Des héros de la Crète assembla-t-il l'élite ?
Pourquoi, trop jeune encor, ne pûtes-vous alors
Entrer dans le vaisseau qui le mit sur nos bords ?
Par vous aurait péri le monstre de la Crète,
Malgré tous les détours de sa vaste retraite.
Pour en développer l'embarras incertain,
Ma sœur du fil fatal eût armé votre main.
Mais non, dans ce dessein je l'aurais devancée.
L'amour m'en eût d'abord inspiré la pensée.
C'est moi, Prince, c'est moi, dont l'utile secours
Vous eût du Labyrinthe enseigné les détours.
Que de soins m'eût coûtés cette tête charmante !
Un fil n'eût point assez rassuré votre amante :
Compagne du péril qu'il vous fallait chercher,
Moi-même devant vous j'aurais voulu marcher,
Et Phèdre au labyrinthe avec vous descendue
Se serait avec vous retrouvée ou perdue.

HIPPOLYTE

Dieux ! qu'est-ce que j'entends ! Madame, oubliez-vous
Que Thésée est mon père, et qu'il est votre époux ?

PHÈDRE

Et sur quoi jugez-vous que j'en perds la mémoire,
Prince ? Aurais-je perdu tout le soin de ma gloire ?

HIPPOLYTE

Madame, pardonnez. J'avoue, en rougissant,
Que j'accusais à tort un discours innocent.
Ma honte ne peut plus soutenir votre vue,
Et je vais...

PHÈDRE

Ah ! cruel, tu m'as trop entendue !
Je t'en ai dit assez pour te tirer d'erreur.
Eh bien ! connais donc Phèdre et toute sa fureur.
J'aime. Ne pense pas qu'au moment que je t'aime,
Innocente à mes yeux, je m'approuve moi-même,
Ni que du fol amour qui trouble ma raison,
Ma lâche complaisance ait nourri le poison.
Objet infortuné des vengeances célestes,
Je m'abhorre encor plus que tu ne me détestes.
Les dieux m'en sont témoins, ces dieux qui dans mon flanc
Ont allumé le feu fatal à tout mon sang ;
Ces dieux qui se sont fait une gloire cruelle
De séduire le cœur d'une faible mortelle.
Toi-même en ton esprit rappelle le passé.
C'est peu de t'avoir fui, cruel, je t'ai chassé :
J'ai voulu te paraître odieuse, inhumaine,
Pour mieux te résister, j'ai recherché ta haine,
De quoi m'ont profité mes inutiles soins ?
Tu me haïssais plus, je ne t'aimais pas moins.
Tes malheurs te prêtaient encor de nouveaux charmes.
J'ai langui, j'ai séché, dans les feux, dans les larmes.
Il suffit de tes yeux pour t'en persuader,
Si tes yeux un moment pouvaient me regarder.
Que dis-je ? Cet aveu que je viens de faire,
Cet aveu si honteux, le crois-tu volontaire ?
Tremblante pour un fils que je n'osais trahir,
Je te venais prier de ne le point haïr.
Faibles projets d'un cœur trop plein de ce qu'il aime !
Hélas ! je ne t'ai pu parler que de toi-même !
Venge-toi, punis-moi d'un odieux amour ;
Digne fils du héros qui t'a donné le jour,
Délivre l'univers d'un monstre qui t'irrite.
La veuve de Thésée ose aimer Hippolyte !
Crois-moi, ce monstre affreux ne doit point t'échapper.
Voilà mon cœur : c'est là que ta main doit frapper.
Impatient déjà d'expier son offense,
Au-devant de ton bras je le sens qui s'avance.
Frappe. Ou si tu le crois indigne de tes coups,
Si ta haine m'envie un supplice si doux,
Ou si d'un sang trop vil ta main serait trempée,
Au défaut de ton bras prête-moi ton épée.
Donne.

Phèdre, acte II, sc. 5

Plaire et instruire

Dans le désir (bien commun à l'époque) de légitimer son art en prônant l'utilité morale de son théâtre, Racine se réclame de la très aristotélicienne catharsis. La pièce purge les passions du spectateur en en représentant les horreurs. Face aux autorités morales et religieuses, qu'elles soient jansénistes ou dévotes, le « Grand Auteur » adopte une position forte et pourtant conciliante.

Comme la plupart des auteurs de théâtre, il a soin de reconnaître que son art doit avoir une utilité morale, comme eux, il s'appuie sur la catharsis en mettant en scène les passions, il instruit les hommes et les purge de leurs passions, c'est bien. Mais comme ses contemporains, et peut-être plus qu'eux encore, il rend les passions « charmantes », séduisantes dans leur expression même, il plaît en les représentant. L'horreur devient un charme pour lequel on se déplace. C'est là que Bossuet, que les dévots et ses maîtres jansénistes condamnent, se sépare de leur jugement, c'est là aussi qu'il est, véritablement, poète tragique.

« Il n'est point de serpent ni de
                    [monstre odieux
Qui par l'art exprimé ne puisse
                    [plaire aux yeux »

disait Boileau...

L'autojustification de la préface, comme celles qu'il ne cesse d'écrire dans la plupart de ses textes sur la tragédie (en particulier lorsqu'il s'est opposé à Port-Royal en 1666) rendent bien compte de ce débat sur le théâtre qui n'est pas prêt de disparaître. Qu'on utilise les intrigues grecques ou romaines, qu'on se réfère à Aristote ou à Horace, on doit bien convenir du fait, qu'en plus de l'instruction qu'elle contient, la tragédie doit plaire, et pour cela, rendre les passions visibles, captivantes, quitte à ce qu'elles soient, parfois, bien séduisantes...

Le sacré et le religieux

Ces personnages, enfin, sont des héros, race intermédiaire entre les hommes et les dieux. L'univers mythologique, référence partagée en ce siècle qui s'appuie constamment sur l'antique sacré, permet l'irruption de la fatalité, du destin dans la démesure des passions. Cachés mais évoqués, les dieux semblent présider aux conflits. Neptune protège Thésée ; Vénus persécute, de sa haine implacable la lignée de Phèdre, fille de Minos, juge des Enfers, et de Pasiphaé, elle-même fille du Soleil.

En figurant les forces passionnelles, la présence des dieux assure le lien entre la tragédie amoureuse et la référence à la fatalité antique. L'amour et l'orgueil, la fureur de Phèdre, l'impatience d'Hippolyte, l'aveuglement de Thésée, la violence de leurs passions, leur égarement peuvent alors se justifier par le regard des « inexorables dieux ».

Dans l'univers tragique, les passions (orgueil, jalousie, amour, pouvoir) sont les ressorts des intrigues et les éléments qui déterminent les héros. Dans cette pièce, Racine ajoute à cette structure (déjà constante dans ses pièces précédentes) le sacré qui recouvre les passions et permet une autre interprétation.

Phèdre, ici, semble abandonnée par les Dieux. Livrée à ses passions et consciente de sa faute, elle résiste, lutte et prie, mais se trahit. Son corps et son langage parlent contre sa volonté : son libre arbitre n'est rien face à la volonté divine et aux « fureurs » qui la régissent. Dieu l'abandonne au torrent de ses passions et l'a déjà condamnée à ne point être sauvée. Le sacré commande dès lors la lecture religieuse et morale de la pièce, et l'on a pu voir ici l'illustration janséniste de l'intrigue mythologique. Coupable et innocente, privée de la grâce, elle se voit soumise à un destin malheureux qui l'entraîne vers la mort.

Le destin, c'est la passion

Plus qu'une dramaturgie janséniste, le théâtre de Racine est une représentation de conflits passionnels et sociaux au sein d'une interrogation sur le péché au sens le plus large qui soit. Une interrogation qui prend en compte le fait qu'il n'est plus possible, comme chez Corneille, de fuir les passions, on y succombe sans pouvoir rien faire d'autre qu'en souffrir. Phèdre est cette héroïne du théâtre racinien, souffrante et désirante en butte à son désir peut-être plus qu'à son destin. Consciente que son désir est une faute, fautive par la démesure de son amour et de sa jalousie, elle mérite de toute façon le destin qui l'accable. La passion infernale, thème essentiel de toute l'œuvre, submerge alors toutes les interprétations.

Poèmes en cinq actes

Cependant, évoluant dans le « monde », l'homme sait être sensible, avec raffinement. La violence des passions, la brutalité des actes ne doivent jamais cesser de plaire au public mondain. La passion se joue sur scène et séduit. On pleure devant Racine.

Comme dans les romans, le romanesque revient dans les regards, les larmes et les serments, comme si ces personnages, en butte au destin le plus austère et aux passions les plus horribles, n'avaient pas oublié les maximes et les comportements de ceux qui les regardent.

Tour à tour épiques et lyriques, violents et dolents, ces poèmes en cinq actes renvoient les spectateurs à la Cour, à leurs lecteurs, à leurs sentiments, parfois à leur statut face au Divin. L'auteur courtisan sait bien de quoi il parle lorsqu'il mêle les catégories mondaines, morales et religieuses dans lesquelles il se débat. Versailles, sa patrie d'adoption, et Port-Royal, le lieu de ses études et de sa formation idéologique, sont aux prises, dans une tension tragique.

❝ Où suis-je ? Ô trahison ! Ô reine infortunée ! D'armes et d'ennemis je suis environnée. **❞**

Athalie, les personnages

Athalie, princesse adoratrice de Baal, est née, comme beaucoup de héros raciniens, comme Phèdre, dans une famille vouée au malheur. Si elle lutte pour rester reine, pour préserver un passé glorieux mais sanguinaire, elle se trouve soudain face à la pureté menaçante d'Eliacin que le songe lui a fait connaître. Bourreau et victime, elle n'en éprouve pas moins de la pitié pour l'enfant, comme le spectateur éprouve finalement de la pitié pour elle au-delà de l'horreur et de la terreur premières. Dans son combat nécessaire contre le Dieu des juifs, elle ne peut que perdre, en pleine conscience, un empire sanguinaire destiné à l'échec.

Le personnage du Grand-Prêtre, Joad, est celui du « saint » que Dieu sacrifie à son propre triomphe. Inébranlable dans sa foi, prophète, il domine tous les hommes, qui ne sont que des jouets dans ses mains, comme lui-même est un jouet dans les mains de Dieu. En faisant roi le jeune Joas-Eliacin, il sacrifie son propre fils, comme Abraham dut décider de sacrifier Isaac.

Le songe d'Athalie

Dès le début de la pièce, Athalie a une prémonition de son destin : un « songe » la tourmente, songe d'ombre et de lumière, qui devient obsession...

ATHALIE

Je jouissais en paix du fruit de ma sagesse ;
Mais un trouble importun vient, depuis quelques jours,
De mes prospérités interrompre le cours.
Un songe (me devrais-je inquiéter d'un songe !)
Entretient dans mon cœur un chagrin qui le ronge :
Je l'évite partout, partout il me poursuit.
C'était pendant l'horreur d'une profonde nuit ;
Ma mère Jézabel devant moi s'est montrée,
Comme au jour de sa mort pompeusement parée ;
Ses malheurs n'avaient point abattu sa fierté ;
Même elle avait encor cet éclat emprunté
Dont elle eut soin de peindre et d'orner son visage,
Pour réparer des ans l'irréparable outrage :
« Tremble, m'a-t-elle dit, fille digne de moi ;
Le cruel Dieu des Juifs l'emporte aussi sur toi.
Je te plains de tomber dans ses mains redoutables,
Ma fille ». En achevant ces mots épouvantables,
Son ombre vers mon lit a paru se baisser ;
Et moi je lui tendais les mains pour l'embrasser ;
Mais je n'ai plus trouvé qu'un horrible mélange
D'os et de chair meurtris, et traînés dans la fange,
Des lambeaux pleins de sang, et des membres affreux
Que des chiens dévorants se disputaient entre eux...

ABNER

Grand Dieu !

ATHALIE

Dans ce désordre à mes yeux se présente
Un jeune enfant couvert d'une robe éclatante,
Tels qu'on voit des Hébreux les prêtres revêtus.
Sa vue a ranimé mes esprits abattus ;
Mais lorsque, revenant de mon trouble funeste,
J'admirais sa douceur, son air noble et modeste,
J'ai senti tout à coup un homicide acier
Que le traître en mon sein a plongé tout entier.

De tant d'objets divers le bizarre assemblage
Peut-être du hasard vous paraît un ouvrage :
Moi-même quelque temps, honteuse de ma peur,
Je l'ai pris pour l'effet d'une sombre vapeur.
Mais de ce souvenir mon âme possédée
A deux fois en dormant revu la même idée ;
Deux fois mes tristes yeux se sont vu retracer
Ce même enfant toujours tout prêt à me percer.
Lasse enfin des horreurs dont j'étais poursuivie,
J'allais prier Baal de veiller sur ma vie,
Et chercher du repos au pied de ses autels :
Que ne peut la frayeur sur l'esprit des mortels !

Athalie, acte II, sc. 5 (1691)

L'utilisation des unités tragiques

Comme dans ses autres pièces, et peut-être avec encore plus de force et d'éclat, Racine utilise pleinement la contrainte des unités.

Le jour, c'est la fête des prémices : « On y célébrait la mémoire de la publication de la loi sur le mont de Sinaï, et on y offrait aussi à Dieu les premiers pains de la nouvelle moisson », dit Racine dans sa préface. La lumière de l'aube se lève sur le Temple, lumière d'un monde nouveau, lumière qui éclairera les êtres et qui sera cristallisée par l'image de l'enfant-trésor, Joas, ce pur enfant que le temple abrite, promesse d'un renouveau pour le peuple juif. La journée s'achèvera par la mise à mort d'Athalie et le triomphe de la loi donnée au Sinaï.

Le Temple, lui, est toute la pièce, il est le lieu sur lequel la reine impie, l'adoratrice de Baal, jette des regards furieux, le lieu qu'elle cherche à investir, le lieu qu'elle menace. Puis un lieu fermé, vulnérable, abandonné, pour enfin devenir le lieu triomphant, sauvé des souillures de l'idolâtrie. Jusqu'à la scène finale, le destin hésite, avant de se prononcer contre la terrible reine. Racine reprend ici la scène finale de *Rodogune* de Corneille, en accentuant le pathétique. Dieu, en son lieu d'élection, montre sa toute-puissance. Devant le mal renaissant, devant la perpétuelle défaite du bien, devant la pureté persécutée par un pouvoir infernal ou idolâtre, l'espoir en la naissance d'un Sauveur peut se trouver ici comblé.

Les ambiguïtés du lieu

Menacé de destruction, école de religion mais aussi école d'un roi qui ne pourra que trahir son maître et son bienfaiteur, cet espace permet bien des interprétations.

Au-delà des allusions ponctuelles (la sagesse du jeune homme désignant celle du jeune duc de Bourgogne, petit-fils de Louis XIV, l'enseignement de Joad se référant à celui de Bossuet, l'évocation de Mme de Maintenon à Saint-Cyr par la femme du Grand-Prêtre, Josabet), au-delà même d'une prière pour le rétablissement en Angleterre d'un souverain légitime (le futur Jacques II, alors soutenu par Mme de Maintenon), il est possible de voir en Athalie une pièce de politique religieuse. La religion persécutée deviendrait de fait le jansénisme, Joad le grand Arnauld, croyant inébranlable, face aux officiers timorés (Abner) et aux cruels prêtres apostats (Mathan, image possible du jésuite ou du prélat de cour...). Ultimes remords pour un élève de Port-Royal traître à son église ? Fin d'un certain reniement ?...

La prose classique : raison et passion

Du roman à la nouvelle, des lettres et des mémoires aux récits de voyage, la prose du Grand Siècle s'éloigne doucement du grand roman baroque pour tendre à plus de précision, voire de réalisme. La passion tragique est au centre des combats que les héros, maintenant plus proches de leurs lecteurs, livrent avec feu.

La Princesse de Clèves ou l'impuissance de l'être face à la passion

La Princesse de Clèves est le récit d'une progression ; non de la passion elle-même, mais des expériences successives qu'elle cause dans le cœur, mais des découvertes successives qu'elle fait faire à l'esprit. Cette double progression s'accomplit en une double série d'étapes distinctes, dont chacune a son caractère propre, mais qui ont toutes pour trait commun la priorité du mouvement du cœur sur celui de l'esprit. A chaque fois c'est comme une nouvelle découverte qui se fait, découverte que cet amour est partagé, découverte des tourments de la jalousie, des joies de la confiance amoureuse ; découverte du malheur infini qu'emporte la plus légère infidélité. A chaque fois l'esprit est comme assailli par des lueurs inattendues, et qui lui éclairent des profondeurs insoupçonnées : prises de conscience quasi instantanées, sous la poussée immédiate, extraordinairement urgente, d'une émotion qui semble pourtant le produit d'un très long travail souterrain.

Parallèlement encore, une autre connaissance, une autre série de découvertes, procédant suivant le même rythme de prises de conscience immédiates, isolées parmi des intervalles ternes. Comme il y a la connaissance de la puissance de la passion, il y a celle de l'impuissance de l'être en face de la passion : c'est connaître que l'on ne peut pas ne pas aimer, connaître qu'on n'est plus maître de ses sentiments, puis qu'on n'est plus maître ni de ses gestes, ni de son visage, ni de ses paroles ; puis c'est connaître qu'on ne peut plus connaître, que la conscience se trouble, que le centre de la citadelle est déjà, comme le reste, entre les mains de l'ennemi.

Ainsi Mme de Clèves parcourt, étape par étape, un chemin cruel, où chaque moment d'arrêt est une surprise amère ; où la passion se dévoile à chaque fois comme une réalité nouvelle dont on prend douloureusement connaissance ; et où l'être qu'on est se découvre dépouillé, l'un après l'autre, des traits qui faisaient sa réalité et sa permanence ; où l'être enfin est à chaque instant infidèle à lui-même, si bien que dans cette multiplicité et cette dispersion il s'aperçoit différent, à en être méconnaissable :

« Elle regarde avec étonnement la prodigieuse différence de l'état où elle était le soir, d'avec celui où elle se trouvait alors... Elle ne se reconnaissait plus elle-même. »

Il y a pire encore que d'« être abandonné à soi-même dans un temps où l'on est si peu maître de ses sentiments » ; c'est de se perdre de vue soi-même en chacun des moments dispersés de la passion.

Reste un dernier recours : mettre entre les mains d'autrui, par un aveu héroïque, cette possession, cette direction qui échappe :

« Réglez ma conduite, faites que je voie personne, c'est tout ce que je vous demande. »

Ah ! pouvoir retrouver ainsi, fût-ce par une obéissance aveugle, fût-ce au prix d'une autre forme d'esclavage, cette continuité de soi, cette fidélité à soi, qui font de la vie, non un chaos d'instants, mais une unité temporelle !

Après l'échec de cette tentative, il n'y a plus rien que la catastrophe inévitable, et le dénouement.

Georges Poulet,
Études sur le temps humain, Plon, 1950

Mariée fort jeune au moins jeune prince de Clèves, la princesse aime le beau duc de Nemours, à qui pourtant elle ne cédera pas. Devoir, fierté, cruauté, fatalité, tout s'accorde pour qu'elle n'avoue jamais son amour à celui qu'elle aime et qu'elle le dévoile à son mari — pendant que Nemours, caché, écoute la conversation.

— Ne me contraignez point, lui dit-elle, à vous avouer une chose que je n'ai pas la force de vous avouer, quoique j'en aie eu plusieurs fois le dessein. Songez seulement que la prudence ne veut pas qu'une femme de mon âge, et maîtresse de sa conduite, demeure exposée au milieu de la cour.

— Que me faites-vous envisager, Madame, s'écria M. de Clèves. Je n'oserais vous le dire de peur de vous offenser.

Mme de Clèves ne répondit point ; et son silence achevant de confirmer son mari dans ce qu'il avait pensé :

— Vous ne me dites rien, reprit-il, et c'est me dire que je ne me trompe pas.

— Eh bien, Monsieur, lui répondit-elle en se jetant à ses genoux, je vais vous faire un aveu que l'on n'a jamais fait à son mari ; mais l'innocence de ma conduite et de mes intentions m'en donne la force. Il est vrai que j'ai des raisons de m'éloigner de la cour et que je veux éviter les périls où se trouvent quelquefois les personnes de mon âge. Je n'ai jamais donné nulle marque de faiblesse et je ne craindrais pas d'en laisser paraître si vous me laissiez la liberté de me retirer de la cour ou si j'avais encore Mme de Chartres pour aider à me conduire. Quelque dangereux que soit le parti que je prends, je le prends avec joie pour me conserver digne d'être à vous. Je vous demande mille pardons, si j'ai des sentiments qui vous déplaisent, du moins je ne vous déplairai jamais par mes actions. Songez que pour faire ce que je fais, il faut avoir plus d'amitié et plus d'estime pour un mari que l'on en a jamais eu ; conduisez-moi, ayez pitié de moi, et aimez-moi encore, si vous pouvez.

M. de Clèves était demeuré, pendant tout ce discours, la tête appuyée sur ses mains, hors de lui-même, et il n'avait pas songé à faire relever sa femme. Quand elle eut cessé de parler, qu'il jeta les yeux sur elle, qu'il la vit à ses genoux le visage couvert de larmes et d'une beauté si admirable, il pensa mourir de douleur, et l'embrassant en la relevant :

– Ayez pitié de moi vous-même, Madame, lui dit-il, j'en suis digne ; et pardonnez si, dans les premiers moments d'une affliction aussi violente qu'est la mienne, je ne réponds pas, comme je dois, à un procédé comme le vôtre. Vous me paraissez plus digne d'estime et d'admiration que tout ce qu'il y a jamais eu de femmes au monde ; mais aussi je me trouve le plus malheureux homme qui ait jamais été. Vous m'avez donné de la passion dès le premier moment que je vous ai vue ; vos rigueurs et votre possession n'ont pu l'éteindre : elle dure encore ; je n'ai jamais pu vous donner de l'amour, et je vois que vous craignez d'en avoir pour un autre. Et qui est-il, Madame, cet homme heureux qui vous donne cette crainte ? Depuis quand vous plaît-il ? Qu'a-t-il fait pour vous plaire ? Quel chemin a-t-il trouvé pour aller à votre cœur ? Je m'étais consolé en quelque sorte de ne l'avoir pas touché par la pensée qu'il était incapable de l'être. Cependant un autre fait ce que je n'ai pu faire. J'ai tout ensemble la jalousie d'un mari et celle d'un amant ;

mais il est impossible d'avoir celle d'un mari après un procédé comme le vôtre. Il est trop noble pour ne me pas donner une sûreté entière ; il me console même comme votre amant. La confiance et la sincérité que vous avez pour moi sont d'un prix infini : vous m'estimez assez pour croire que je n'abuserai pas de cet aveu. Vous avez raison, Madame, je n'en abuserai pas et je ne vous en aimerai pas moins. Vous me rendez malheureux par la plus grande marque de fidélité que jamais une femme ait donnée à son mari. Mais, Madame, achevez et apprenez-moi qui est celui que vous voulez éviter.

– Je vous supplie de ne me le point demander, répondit-elle ; je suis résolue de ne vous le pas dire et je crois que la prudence ne veut pas que je vous le nomme.

– Ne craignez point, Madame, reprit M. de Clèves, je connais trop le monde pour ignorer que la considération d'un mari n'empêche pas que l'on ne soit amoureux de sa femme. On doit haïr ceux qui le sont et non pas s'en plaindre ; et encore une fois, Madame, je vous conjure de m'apprendre ce que j'ai envie de savoir.

– Vous m'en presseriez inutilement, répliqua-t-elle ; j'ai de la force pour taire ce que je crois ne pas devoir dire. L'aveu que je vous ai fait n'a pas été par faiblesse, et il faut plus de courage pour avouer cette vérité que pour entreprendre de la cacher.

M. de Nemours ne perdait pas une parole de cette conversation ; et ce que venait de dire Mme de Clèves ne lui donnait guère moins de jalousie qu'à son mari. Il était si éperdument amoureux d'elle qu'il croyait que tout le monde avait les mêmes sentiments. Il était véritable aussi qu'il avait plusieurs rivaux ; mais il s'en imaginait encore davantage, et son esprit s'égarait à chercher celui dont Mme de Clèves voulait parler. Il avait cru bien des fois qu'il ne lui était pas désagréable et il avait fait ce jugement sur des choses qui lui parurent si légères dans ce moment qu'il ne put s'imaginer qu'il eût donné une passion qui devait être bien violente pour avoir recours à un remède si extraordinaire. Il était si transporté qu'il ne savait quasi ce qu'il voyait, et il ne pouvait pardonner à M. de Clèves de ne pas presser sa femme de lui dire ce nom qu'elle lui cachait.

Mme de La Fayette,
la Princesse de Clèves, IIIe partie, 1678

Les *Lettres de la religieuse portugaise* ou le cri tragique de la passion

Qu'on relise les premières lignes de la première lettre : la parole naît dans le silence et l'obscurité de l'âme ; Mariane s'adresse à son amour – c'est-à-dire à son sentiment personnifié – comme si elle avait peur de parler d'elle-même et de regarder en face son malheur ; c'est son amour qui a été imprévoyant, qui est malheureux, qui a été trahi ; c'est à son amour qu'elle reproche de l'avoir elle aussi trahie ; c'est son amour qui s'est désespéré, et l'on remarquera la bizarrerie tourmentée et bien peu classique du langage : l'amour avait fondé des projets de plaisir sur la passion... L'absence, si terrible, n'est nommée qu'au bout d'une lourde série de subordonnées ; le mot arrache à Mariane un cri de douleur, désormais, elle ne peut plus parler d'elle-même que sous le masque de son amour.

Henri Coulet,
le Roman jusqu'à la Révolution,
coll. U, Armand Colin, 1967

Considère, mon Amour, jusqu'à quel excès tu as manqué de prévoyance. Ah ! malheureux ! tu as été trahi, et tu m'as trahie par des espérances trompeuses. Une passion sur laquelle tu avais fait tant de projets de plaisirs, ne te cause présentement qu'un mortel désespoir, qui ne peut être comparé qu'à la cruauté de l'absence qui le cause. Quoi ? cette absence, à laquelle ma douleur, toute ingénieuse qu'elle est, ne peut donner un nom assez funeste, me privera donc pour toujours de regarder ces yeux dans lesquels je voyais tant d'amour, et qui me faisaient connaître des mouvements qui me comblaient de joie, qui me tenaient lieu de toutes choses, et qui enfin me suffisaient ? Hélas ! les miens sont privés de la seule lumière qui les animait, il ne leur reste que des larmes, et je ne les ai employés à aucun usage qu'à pleurer sans cesse, depuis que j'appris que vous étiez enfin résolu à un éloignement, qui m'est si insupportable, qu'il me fera mourir en peu de temps. Cependant il me semble que j'ai quelque attachement pour des malheurs dont vous êtes la seule cause : je vous ai destiné ma vie aussitôt que je vous ai vu ; et je sens quelque plaisir en vous la sacrifiant. J'envoie mille fois le jour mes soupirs vers vous, ils vous cherchent en tous lieux, et ils ne me rapportent, pour toute récompense de tant d'inquiétudes, qu'un avertissement trop sincère que me donne ma mauvaise fortune, qui a la cruauté de ne souffrir pas que je me flatte, et qui me dit à tous moments : cesse, cesse, Mariane infortunée, de te consumer vainement, et de chercher un Amant que tu ne verras jamais ; qui a passé les mers pour te fuir, qui est en France au milieu des plaisirs, qui ne pense pas un seul moment à tes douleurs, et qui te dispense de tous ces transports, desquels il ne sait aucun gré. Mais non, je ne puis me résoudre à juger si injurieusement de vous, et je suis trop intéressée à vous justifier : je ne veux point m'imaginer que vous m'avez oubliée.

Lettres de la religieuse portugaise, 1669

La Rochefoucauld : *Maximes*

Ce qui frappe d'abord, dans ces Maximes, *c'est le pessimisme ironique de son auteur devant la faiblesse humaine, un pessimisme brillant, acide et comique. Face à l'égoïsme, la générosité n'est rien qu'un déguisement. De là à conclure, comme Mᵐᵉ de La Fayette, au dépit de l'auteur, aigri par la défaite des valeurs féodales, il n'y a qu'un pas vite franchi par la majorité des contemporains.*

« Nos vertus ne sont le plus souvent que des vices déguisés »

Parallèlement à la chute du héros cornélien, on assiste ici à la « démolition du héros ». Il n'y a plus de pure vertu, il est devenu impossible d'avoir une conduite réglée dans la diversité du monde. L'« amour-propre », cette passion de soi, est multiforme, elle envahit toutes les conduites humaines, prolifère au rythme des passions, sans cohérence, et les maximes en observent les manifestations. A chaque vertu correspond un vice caché et les considérations morales ne sont finalement que ce dont on recouvre l'amour-propre... En fervent lecteur de Montaigne, La Rochefoucauld note avec un sourire chagrin les caprices humains, futiles et intéressés.

Cependant, ce grand seigneur ne peut se résoudre à exclure l'héroïsme et la générosité, même s'il n'a pu les rencontrer : l'amitié, le courage, l'intelligence, restent les valeurs des « grands cœurs », éléments
nécessaires pour un modèle idéal, à l'horizon de la morale. Et doucement, on s'achemine vers une sorte de résignation tolérante, consciente du fait que les sociétés, pour être fortes, doivent s'appuyer sur l'apparence de la vertu, même si elle est en fait une mosaïque de vices, d'intérêts et d'orgueils multiples...

Nos vertus ne sont, le plus souvent, que des vices déguisés.

Ce que nous prenons pour des vertus n'est souvent qu'un assemblage de diverses actions et de divers intérêts, que la fortune ou notre industrie savent arranger ; et ce n'est pas toujours par valeur et par chasteté que les hommes sont vaillants, et que les femmes sont chastes.

L'amour-propre est le plus grand de tous les flatteurs.

Nous avons tous assez de force pour supporter les maux d'autrui.

Le soleil ni la mort ne se peuvent regarder fixement.

Le mal que nous faisons ne nous attire pas tant de persécution et de haine que nos bonnes qualités.

S'il y a des hommes dont le ridicule n'ait jamais paru, c'est qu'on ne l'a pas bien cherché.

Ce qui fait que les amants et les maîtresses ne s'ennuient point d'être ensemble, c'est qu'ils parlent toujours d'eux-mêmes.

La Rochefoucauld, *Maximes*

La grande histoire se diffracte et se rapproche du temps présent

L'histoire, sur laquelle se fondaient les auteurs pour construire leurs merveilleux récits, se modifie. Les historiens antiques sont traduits ou adaptés en français, et la diversité de leurs approches passionne plus d'un lecteur. La vie des hommes illustres fait encore recette, et l'on cherche toujours à instruire le lecteur en améliorant sa conduite (avec Mézeray par exemple) mais les petits détails, les anecdotes, les événements quotidiens du passé enchantent et font rêver. Comme la grandiose épopée, l'histoire savante et instructive plaît de moins en moins. L'idée qu'on se fait de l'homme ayant changé, on recherche dans les temps passés l'image d'hommes moins glorieux, mais plus proches des lecteurs. Lorsqu'elle n'est pas fondamentalement remise en cause (avec Bayle), l'histoire éclate en faits divers, pendant qu'elle s'intéresse à un passé de plus en plus proche et qu'elle fascine par sa diversité.

Face aux historiens, les mémorialistes

Les mémorialistes ont à cœur de se démarquer des historiens. Eux, ont connu l'histoire, ils ont été héros, alors que les bourgeois qui font profession d'écrire sur les faits passés n'ont pu être, dans le meilleur des cas que spectateurs ou employés aux écritures... De là la revendication du style « sans fard », sincère, organisé par un narrateur qui dira tout de lui, quitte à transformer la vérité pour mieux se défendre.

La noblesse ne peut plus avoir un véritable rôle politique depuis la Fronde. La monarchie absolue lui interdit autant la rébellion que le partage du pouvoir. Comme les parlements, elle doit s'incliner.

Dès lors, deux refuges sont possibles. En premier lieu, un refuge financier. Faute de pouvoir gouverner par les lois, elle s'enrichira en pactisant avec les financiers, en faisant des affaires et en prenant une revanche sur le terrain économique. En second lieu, un refuge littéraire et éthique, en constituant la morale de l'honnêteté,

adaptation des valeurs héroïques à un monde qui a bien changé depuis la Fronde. Le héros est déconstruit, et devient autre, cette fois, il doit vivre à la Cour et dans les salons...

L'histoire devient donc l'histoire vécue, les Mémoires d'un auteur capable de raconter sa vie, mais aussi de réfléchir sur le temps passé qu'il entend bien maîtriser.

La morale aristocratique à l'épreuve du réel

Retz peut ainsi approfondir les données politiques qui déterminent son discours. A priori, ses idées s'opposent à celles du pouvoir monarchique contemporain, puisqu'il défend les corps intermédiaires qui structurent l'État (comme les parlements et l'Église). En fait, l'analyste s'interroge sur le pouvoir du roi sans le dénoncer, conscient de l'impératif d'avoir une autorité puissante pour échapper aux désordres de la révolution anglaise, qui hantent les esprits. Le jeu de l'individu se place alors dans une marge étroite : l'homme politique, s'il veut réussir, doit manipuler ceux qui ont une parcelle de pouvoir (le peuple, le clergé, les parlementaires, une frange de la noblesse) avant de constater qu'il n'est plus rien devant l'absolutisme de 1675.

Les héros aristocratiques ont disparu, leur place, hélas !, est maintenant à la cour, auprès du roi, dans les salons des honnêtes moralistes, ou dans les cabinets des financiers. L'héroïsme politique n'a plus cours que dans le passé, la nostalgie, le mythe.

L'auteur, devenu héros littéraire, ne se défend pas seulement, il se met alors brillamment dans une action à la fois réelle (historique) et fictive (romanesque) par l'intermédiaire d'un genre qui lui assure la complicité de ses lecteurs (les mémoires).

Au tout début de ses Mémoires, Retz installe son discours en s'adressant à une dédicataire particulière (probablement Mme

de Sévigné), en se présentant lui-même et en annonçant un certain nombre de ses principes d'écriture, dans le même temps.

Madame, quelque répugnance que je puisse avoir à vous donner l'histoire de ma vie, qui a été agitée de tant d'aventures différentes, néanmoins, comme vous me l'avez commandé, je vous obéis, même aux dépens de ma réputation. Le caprice de la fortune m'a fait honneur de beaucoup de fautes ; et je doute qu'il soit judicieux de lever le voile qui en cache une partie. Je vas cependant vous instruire nuement et sans détour des plus petites particularités, depuis le moment que j'ai commencé à connaître mon état ; et je ne vous cèlerai aucunes des démarches que j'ai faites en tous les temps de ma vie.

Je vous supplie très humblement de ne pas être surprise de trouver si peu d'art et au contraire tant de désordre en toute ma narration, et de considérer que si, en récitant les diverses parties qui la composent, j'interromps quelquefois le fil de l'histoire, néanmoins je ne vous dirai rien qu'avec toute la sincérité que demande l'estime que je sens pour vous. Je mets mon nom à la tête de cet ouvrage, pour m'obliger davantage moi-même à ne diminuer et à ne grossir en rien la vérité. La fausse gloire et la fausse modestie sont les deux écueils que la plupart de ceux qui ont écrit leur propre vie n'ont pu éviter. Le président de Thou [1] l'a fait avec succès dans le dernier siècle, et dans l'antiquité César n'y a pas échoué. Vous me faites, sans doute, la justice d'être persuadée que je n'allèguerais pas ces grands noms sur un sujet qui me regarde, si la sincérité n'était une vertu dans laquelle il est permis et même commandé de s'égaler aux héros.

Je sors d'une maison illustre en France et ancienne en Italie [2]. Le jour de ma naissance, on prit un esturgeon monstrueux dans une petite rivière qui passe sur la terre de Montmirail, en Brie, où ma mère accoucha de moi. Comme je ne m'estime pas assez pour me croire un homme à augure, je ne rapporterais pas cette circonstance, si les libelles qui ont depuis été faits contre moi, et qui en ont parlé comme d'un prétendu présage de l'agitation dont ils ont voulu me faire l'auteur, ne me donnaient lieu de craindre qu'il n'y eût de l'affectation à l'omettre.

Cardinal de Retz,
Mémoires, première partie, 1717

Mme de Sévigné : une épistolière que le dix-huitième siècle rendra célèbre

Avant tout, Marie de Rabutin-Chantal est mère. Veuve à vingt-cinq ans d'un mari aussi volage que duelliste, elle dit souffrir de sa séparation d'avec sa fille, mariée au comte de Grignan en 1669 et résidant en Provence où le comte est lieutenant général. Comme elle ne peut ni la voir ni l'étreindre, elle lui « cause », lui fait part de ses humeurs comme de ce qu'elle voit à Paris, ou au long de ses voyages. Son « naturel » fort travaillé est tout entier tendu vers l'espoir de séduire ses destinataires (outre sa fille, elle s'adresse aussi à d'autres interlocuteurs, son cousin Bussy par exemple) par un négligé contrôlé. Solitude, séparation, mort de ses amis (La Rochefoucauld, Fouquet en

---

(1) Jacques-Auguste de Thou (1553-1617) était aussi connu pour son rôle de modérateur dans les guerres de religion que pour sa *Grande Histoire universelle*, en latin. Il était aussi auteur d'une autobiographie.

(2) *Les Vies parallèles des hommes illustres* de Plutarque (historien grec, 46-125 ap. J.-C.), traduites par Amyot, en 1559, était à l'époque, un texte de référence en matière d'histoire ancienne.

1680), soumission à la Providence, tout devrait l'amener à la dévotion qu'elle ne peut atteindre parce qu'elle aime le monde, un monde qu'elle raconte avec passion, avec ses faiblesses et ses exigences, et qui lui permet de tromper son « ennui » profond.

Ainsi, dans ces lettres, s'accumulent les réalités et les sentiments d'un véritable auteur littéraire. Les affaires de la Cour (haines, luttes et disgrâces), l'actualité parisienne (théâtre, modes et faits divers), les voyages (en Bretagne, à la campagne), l'argent (si important pour cette petite-fille de financiers), les rires (qu'ils soient « fins » ou « graveleux »), le corps même (joyeux ou souffrant), sont les matières de ces instants littéraires, références obligées de l'art épistolaire des siècles à venir. L'histoire présente est là.

A Paris, ce lundi 21 février 1689.

Je fis ma cour l'autre jour à Saint-Cyr, plus agréablement que je n'eusse jamais pensé. Nous y allâmes samedi, Mme de Coulanges, Mme de Bagnols, l'abbé Têtu et moi. Nous trouvâmes nos places gardées. Un officier dit à Mme de Coulanges que Mme de Maintenon lui faisait garder un siège auprès d'elle : vous voyez quel honneur. « Pour vous, Madame, me dit-il, vous pouvez choisir. » Je me mis avec Mme de Bagnols au second banc derrière les duchesses. Le maréchal de Bellefonds vint se mettre, par choix, à mon côté droit, et devant c'étaient Mmes d'Auvergne, de Coislin, de Sully.

Nous écoutâmes, le maréchal et moi, cette tragédie avec une attention qui fut remarquée, et de certaines louanges sourdes et bien placées, qui n'étaient peut-être pas sous les fontanges de toutes les dames. Je ne puis vous dire l'excès de l'agrément de cette pièce : c'est une chose qui n'est pas aisée à représenter, et qui ne sera jamais

imitée ; c'est un rapport de la musique, des vers, des chants, des personnes, si parfait et si complet, qu'on n'y souhaite rien, les filles qui font des rois et des personnages sont faites exprès : on est attentif, et on n'a point d'autre peine que celle de voir finir une si aimable pièce ; tout y est simple, tout y est innocent, tout y est sublime et touchant : cette fidélité de l'histoire sainte donne du respect ; tous les chants convenables aux paroles, qui sont tirés des *Psaumes* ou de la *Sagesse*, et mis dans le sujet, sont d'une beauté qu'on ne soutient pas sans larmes : la mesure de l'approbation qu'on donne à cette pièce, c'est celle du goût et de l'attention.

J'en fus charmée, et le maréchal aussi, qui sortit de la place, pour aller dire au Roi combien il était content, et qu'il était auprès d'une dame qui était bien digne d'avoir vu *Esther*. Le Roi vint vers nos places, et après avoir tourné, il s'adressa à moi, et me dit : « Madame, je suis assuré que vous avez été contente. » Moi, sans m'étonner, je répondis : « Sire, je suis charmée, ce que je sens est au-dessus des paroles. » Le Roi me dit : « Racine a bien de l'esprit. » Je lui dis : « Sire, il en a beaucoup ; mais en vérité ces jeunes personnes en ont beaucoup aussi : elles entrent dans le sujet comme si elles n'avaient jamais fait autre chose. » Il me dit : « Ah ! pour cela, il est vrai. » Et puis Sa Majesté s'en alla, et me laissa l'objet de l'envie : comme il n'y avait quasi que moi de nouvelle venue, il eut quelque plaisir de voir mes sincères admirations sans bruit et sans éclat. M. le prince, Mme la princesse me vinrent dire un mot ; Mme de Maintenon, un éclair : elle s'en allait avec le Roi ; je répondis à tout, car j'étais en fortune.

Mme de Sévigné, *Correspondance*

La Bruyère : mille cent vingt caractères, et un seul roi

La Bruyère tient les comptes de sa société, avec l'ardeur et avec la myopie qui conviennent à son état. Le fils de petits bourgeois de l'île de la Cité autorisé à jouer dans la Cour des Grands, à condition qu'il n'aille pas contredire les maîtres des lieux, a l'habitude de garder ses réflexions pour lui, et de noter ses observations, sans en informer la compagnie... Plus de mille « caractères », entre 1688 et 1696 (date de sa mort) sont couchés sur le papier, prêts à revivre dans la mémoire des lecteurs. Presque aucun classement : des portraits, des expériences, des notations ponctuelles, agrémentées de maximes et de jugements à l'emporte-pièce, comme on les aime à l'époque. Des clefs, pour intriguer, des effets, pour séduire, des saillies, pour éviter l'ennui et surtout des textes courts, pour répondre à la brièveté de l'impression et cultiver la pointe et l'image synthétique. Savoir « sauter les idées intermédiaires, comme le dira Montesquieu, assez pour ne pas être ennuyeux, pas trop de peur de ne pas être entendu », tout est là. La légèreté dans l'amertume et le pessimisme.

Dieu et le roi ont beau fournir à cet édifice des directions grandioses et sûres, cette sorte d'empirisme mille cent vingt fois répété les atteint tant la société qui les consacre ne correspond plus à leur vertu. La monarchie « telle qu'elle devrait être », ne pourrait qu'évoluer vers une certaine modération, en rompant avec les pratiques barbares de la torture, en assurant le bien de ses sujets, en revenant au temps d'une Astrée perdue...

Décrire un mécanisme social

Mais tout est intérêt, tout est argent, et c'est un bourgeois qui parle ! Les parvenus, les spéculateurs, les profiteurs du régime envahissent le texte et la société, le culte de l'argent renforce le pessimisme de celui qui fait profession d'être « chagrin contre son siècle ». De la confession au moindre détail de la vie quotidienne, le citoyen est régi par l'économie du temps dont le moraliste prend note. Et qu'est-ce que l'« homme de mérite », ou l'« honnête homme » devant la bassesse morale de modernes contemporains tout entiers occupés à compter leurs écus plus que leurs vertus ?

Les Caractères *de La Bruyère,* discours sur les Mœurs de ce siècle, *projet moral, ont succédé aux* Caractères de Théophraste, *traduction de l'auteur grec du IVᵉ-IIIᵉ siècle av. J.-C., mais c'est maintenant la sévère description d'une société et l'analyse, à travers tant de portraits, de « l'étrange disproportion que le plus ou moins de pièces de monnaie met entre les hommes », que met en place La Bruyère. Le conservatisme, à ses heures, peut être violent critique.*

L'on parle d'une région où les vieillards sont galants, polis et civils ; les jeunes gens au contraire, durs, féroces, sans mœurs ni politesse : ils se trouvent affranchis de la passion des femmes dans un âge où l'on commence ailleurs à la sentir ; ils leur préfèrent des repas, des viandes, et des amours ridicules. Celui-là chez eux est sobre et modéré, qui ne s'enivre que de vin : l'usage trop fréquent qu'ils en ont fait le leur a rendu insipide ; ils cherchent à réveiller leur goût déjà éteint par des eaux-de-vie, et par toutes les liqueurs les plus violentes ; il ne manque à leur débauche que de boire de l'eau-forte. Les femmes du pays précipitent le déclin de leur beauté par des artifices qu'elles croient servir à les rendre belles : leur coutume est de peindre leurs lèvres, leurs joues, leurs sourcils et leurs épaules, qu'elles étalent avec leur gorge, leurs bras et leurs oreilles, comme si elles craignaient de cacher l'endroit par où elles pourraient plaire, ou de ne pas se montrer assez. Ceux qui habitent cette contrée ont une physionomie qui n'est pas nette, mais confuse, embarrassée dans une épaisseur de cheveux étrangers, qu'ils préfèrent aux naturels et dont ils font un long tissu pour couvrir leur tête : il descend à la moitié du corps, change les traits, empêche qu'on ne connaisse les hommes à leur visage. Ces peuples d'ailleurs ont leur Dieu et leur roi : les grands de la nation s'assemblent tous les jours, à une certaine heure, dans un temple qu'ils nomment église ; il y a au fond de ce temple un autel consacré à leur Dieu, où un prêtre célèbre des mystères qu'ils appellent saints, sacrés et redoutables ; les grands forment un vaste cercle au pied de cet autel, et paraissent debout, le dos tourné directement aux prêtres et aux saints mystères, et les faces élevées vers leur roi, que l'on voit à genoux sur une tribune, et à qui ils semblent avoir tout l'esprit et tout le cœur appliqué. On ne laisse pas de voir dans cet usage une espèce de subordination ; car ce peuple paraît adorer le prince, et le prince adorer Dieu. Les gens du pays le nomment ★★★ ; il est à quelque quarante-huit degrés d'élévation du pôle, et à plus d'onze cents lieues de mer des Iroquois et des Hurons.

La Bruyère,
les Caractères,
« De la Cour », 74 (1re édition)

En deux paragraphes, enfin, le riche et le pauvre, Giton et Phédon, se répondent. Selon les lois classiques de la symétrie, ils sont renvoyés dos à dos...

Giton a le teint frais, le visage plein et les joues pendantes, l'œil fixe et assuré, les épaules larges, l'estomac haut, la démarche ferme et délibérée. Il parle avec confiance ; il fait répéter celui qui l'entretient, et il ne goûte que médiocrement tout ce qu'il lui dit. Il déploie un ample mouchoir, et se mouche avec grand bruit ; il crache fort loin, et il éternue fort haut. Il dort le jour, il dort la nuit, et profondément ; il ronfle en compagnie. Il occupe à table et à la promenade plus de place qu'un autre. Il tient le milieu en se promenant avec ses égaux ; il s'arrête, et l'on s'arrête ; il continue de marcher, et l'on marche : tous se règlent sur lui. Il interrompt, il redresse ceux qui ont la parole : on ne l'interrompt pas, on l'écoute aussi longtemps qu'il veut parler ; on est de son avis, on croit les nouvelles qu'il débite. S'il s'assied, vous le voyez s'enfoncer dans un fauteuil, croiser les jambes l'une sur l'autre, froncer le sourcil, abaisser son chapeau sur ses yeux pour ne voir personne, ou le relever ensuite, et découvrir son front par fierté et par audace. Il est enjoué, grand rieur, impatient, présomptueux, colère, libertin, politique, mystérieux sur les affaires du temps ; il se croit des talents et de l'esprit. Il est riche.

Phédon a les yeux creux, le teint échauffé, le corps sec et le visage maigre ; il dort peu, et d'un sommeil fort léger ; il est abstrait, rêveur, et il a avec de l'esprit l'air d'un stupide : il oublie de dire ce qu'il sait, ou de parler d'événements qui lui sont connus ; et s'il le fait quelquefois, il s'en tire mal, il croit peser à ceux à qui il parle, il conte brièvement, mais froidement ; il ne se fait pas écouter, il ne fait point rire. Il applaudit, il sourit à ce que les autres lui disent, il est de leur avis ; il court, il vole pour leur rendre de petits services. Il est complaisant, flatteur, empressé ; il est mystérieux sur ses affaires, quelquefois menteur ; il est superstitieux, scrupuleux, timide. Il marche doucement et légèrement, il semble craindre de fouler la terre ; il marche les yeux baissés, et il n'ose les lever sur ceux qui passent. Il n'est jamais du nombre de ceux qui forment un cercle pour discourir ; il se met derrière celui qui parle, recueille furtivement ce qui se dit, et il se retire si on le regarde. Il n'occupe point de lieu, il ne tient point de place ; il va les épaules serrées, le chapeau abaissé sur ses yeux pour n'être point vu ; il se replie et se renferme dans son manteau ; il n'y a point de rues ni de galeries si embarrassées et si remplies de monde, où il ne trouve moyen de passer sans effort, et se couler sans être aperçu. Si on le prie de s'asseoir, il se met à peine sur le bord d'un siège ; il parle bas dans la conversation, et il articule mal ; libre néanmoins sur les affaires publiques, chagrin contre le siècle, médiocrement prévenu des ministres et du ministère. Il n'ouvre la bouche que pour répondre ; il tousse, il se mouche sous son chapeau, il crache presque sur soi, et il attend qu'il soit seul pour éternuer, ou, si cela lui arrive, c'est à l'insu de la compagnie : il n'en coûte à personne ni salut ni compliment. Il est pauvre.

La Bruyère,
les Caractères, « Des biens de fortune »,
83 (6ᵉ édition)

Le roman poursuit sa route : les bourgeois sont maintenant pris au sérieux

Robert Challes célèbre, dans les Illustres Françaises *(1723)*, *l'accession d'une nouvelle classe au roman sérieux. Jusqu'ici, on ne pouvait mettre en scène les petits nobles ou les bourgeois qu'en se moquant. Furetière, dans le* Roman bourgeois, *avait été le plus loin qu'il pouvait, mais en gardant un burlesque de bon aloi, le regard tourné vers les romans antérieurs dont il faisait profession de se moquer.*

Depuis quelques années, les récits s'orientaient vers un certain réalisme, notant les traits de mœurs, à la manière des Caractères *ou des* Mémoires. *Sans vouloir pour autant réformer la morale, ces textes décrivaient les comportements sociaux avec ironie, en laissant filtrer l'esprit critique du moment. Cette fois, Challes entre de plain-pied dans la vie quotidienne « véritable », rejetant l'invraisemblable du romanesque galant. L'auteur, explique Challes, n'a fait que brouiller les lieux et changer les noms. Le sérieux entre donc en force, sans métaphysique, décrivant pathétiquement le drame des jeunes gens cruels, cherchant un bonheur qui fuit à leur approche.*

L'héroïsme du dépassement a vécu, le sacrifice lui-même n'existe plus, l'individu moyen est rusé, brutal, souffrant ou résigné, tortueux. Il ne voit que son intérêt propre dans les aventures qu'il vit et qu'il raconte avec colère, fougue ou tristesse. Les récits s'enchevêtrent, comme les vies, au sein d'une société qui ne laisse pas grand-place à l'espoir.

Mais ce texte reste marginal, la mode est au roman historique et galant. L'histoire, donnée à tort comme absolument authentique, envahit le roman et le gave de digressions. Ceux de Mᵐᵉ d'Aulnoy ravissent par leurs beaux sentiments et leur sensibilité superficielle énoncés dans un style merveilleusement archaïsant ; on n'en finira donc jamais de regretter Céladon ou Clélie...

L'« Histoire de Monsieur des Francs et de Silvie » est la sixième nouvelle du recueil de Robert Challes. Des Francs, gentilhomme d'épée, épouse secrètement, après avoir douté d'elle une première fois, Silvie, jeune fille noble d'origine, mais ayant déjà connu les cruelles vicissitudes de la vie.

Gallöüin, une relation de des Francs, croyant que Silvie n'est attachée à personne, semble la courtiser avec assiduité. Un soir, revenant plus tôt que prévu d'un voyage en province, des Francs découvre Gallöüin dans le lit de Silvie (on apprendra plus tard qu'il a utilisé un subterfuge magique pour s'en faire aimer un soir). Fou de jalousie, le mari trompé s'enfuit en emportant le collier de l'infidèle sans s'être lui-même découvert, provoque le lendemain Gallöüin en duel sans raison apparente, puis décide d'enfermer Silvie dans un manoir poitevin... Sans se justifier autrement qu'en accusant un pouvoir magique, elle admettra cette vengeance et se retirera ensuite dans un couvent pour y mourir.

Mon valet me l'amena dans la maison où je l'attendais, qui était un reste de la mienne que le feu avait épargné, et que j'avais fait raccommoder pour servir à mon dessein. Je la fis monter sans qu'elle vît qui que ce fût que moi. Cette chambre avait pour tout meuble un méchant lit de camp, et une paillasse sans linceuls (1) ni couverture, une selle de bois à trois pieds comme elles sont en province, sans tapisserie, sans foyer, ni cheminée, ni fenêtre, ne recevant le jour que par un œil-de-bœuf, que j'avais fait laisser en haut, et qui était condamné par une grille de fer. Quoique le soleil fût couché, il y avait assez de jour encore pour discerner les objets.

Quel est cet endroit-ci, Monsieur me dit-elle, ce n'est qu'un cachot ? C'est votre appartement, Madame, lui répondis-je, c'est l'endroit qui vous est destiné pour pleurer jusqu'à votre mort votre crime, et ma honte. Jamais sentence de mort prononcée contre un criminel ne fit sur lui un effet pareil à celui que ces terribles paroles firent sur

(1) Draps.

elle. Elle n'eut pas la force d'y répondre. Elle tomba à mes pieds sans voix et sans mouvement ; mais comme il y avait longtemps que j'avais pris ma résolution, je m'étais fait insensiblement une dureté de cœur inflexible. C'était là le premier plaisir de ma vengeance. L'état où je m'étais mis pour elle me fit regarder celui où elle était avec dédain. L'horreur que j'avais pour elle redoubla ; je ne fus point ému de pitié ; je n'en sentis pas même la moindre atteinte. Je la fouillai, je lui pris tout ce qu'elle avait sur elle. Je ne lui laissai rien qui eût pu lui servir à attenter sur sa vie. Je la traitai comme un criminel condamné, dont on conserve la vie uniquement pour faire un exemple public de sa mort.

Elle ne revint point à elle par les violentes secousses que je lui donnai. Je me faisais un plaisir cruel de repaître mes yeux d'un spectacle si barbare et si touchant. Quel changement ! Je me suis mille fois demandé à moi-même où j'avais pu trouver tant de cruauté pour une femme que j'avais idolâtrée, et que j'idolâtrais encore. Je la laissai dans le même état ; et de peur que quelque instant de pitié ne me prît, je ne voulus pas rester chez moi. J'allais souper et coucher chez un gentilhomme à trois lieues de là : je n'en revins que le lendemain assez tard. [...] Je n'avais pour lors d'autre dessein que de la faire mourir dans une prison éternelle.

J'y montai, je la trouvai encore à terre tout de son long, elle était revenue de son évanouissement, mais son étonnement ne l'avait pas quittée, et elle avait été assurément plus de seize heures dans la même situation. Je ne puis vous exprimer l'état où elle était : il passe l'imagination. Elle me regarda, mais bien loin de trouver dans moi un amant soumis, ou un époux pitoyable, elle n'y trouva qu'un juge et qu'un maître inexorable. Tenez, perfide, lui dis-je en lui montrant son collier, êtes-vous convaincue ? On a retiré votre amant de mes mains ; mais vous ne m'échapperez pas, et vous me paierez tous deux ce que je dois à ma vengeance. Elle ne me répondit qu'en se jetant à mes pieds et qu'en versant un torrent de larmes. J'en étais revenu, je ne le payai que d'un sourire dédaigneux. Je lui jetai un paquet de hardes qui pouvait servir à la dernière des paysannes. Je la fis déshabiller, je l'obligeai à se couper elle-même ses cheveux que je brûlai en sa présence à une chandelle. Je les regrette encore : je n'en ai vu de ma vie de plus beaux, ni de plus longs, ni en plus grande quantité. J'emportai tout ce qu'elle avait apporté sur son corps, je l'obligeai de se couvrir des hardes que je venais de lui donner, et ne lui laissai ni bas ni souliers. Ce fut ainsi que je la mis pour le corps ; et pour la nourriture, je lui laissai du pain noir et de l'eau, et n'allai plus lui en porter que tous les trois jours.

Robert Challes,
les Illustres Françaises,
« l'Histoire de Monsieur
des Francs et de Silvie », 1723

Les mérites du voyage : les Jésuites et la Chine

Le grand choc, c'est la Chine. On la connaît, entre autres publications, par les jésuites qui envoient des Lettres édifiantes et curieuses qu'on publie avec grand succès à partir de 1702, au rythme d'un volume par an.

Voilà donc un état centralisé, fort, bureaucratique, un empire extrêmement puissant, qui vit au rythme du peuple et pour le peuple. On y signe un édit de tolérance qui permet aux Jésuites de prêcher la bonne parole face à la religion d'État (1692), alors qu'en France... On y voit un empereur philosophe et paysan, tantôt aux labours, tantôt en méditation, sorte de père du peuple dont les Français seraient orphelins ; les mandarins sont ses relais, et leurs fonctions sont plus déterminées par leur savoir que par leur naissance. Alors, guidé par les observations merveilleuses des voyageurs, le lecteur rêve qu'un État légitime existe sur cette terre, et qu'il ne lui manque que le Dieu des chrétiens pour être idéal, ce que les Jésuites s'emploient à introduire. L'équilibre miraculeux, statique, inaltérable et permanent serait alors atteint, là-bas, dans l'Empire du Milieu.

Plus que l'Américain qui n'est pas encore à la mode (le bon sauvage fera recette plus tard et pour l'instant fourbit ses armes avec La Hontan), plus que l'Égyptien qui est en passe de devenir un sage, plus que le Turc discrédité et archaïque, plus que le Siamois que les missionnaires du roi n'arrivent pas à convertir, plus encore que le Persan pourtant fort prisé grâce aux récits du commerçant Chardin, c'est le Chinois qui intrigue, parce qu'il est, avant tout, philosophe.

« Nous nous trompons également, parce que les préventions de l'enfance nous empêchent de considérer que la plupart des actions humaines sont indifférentes d'elles-mêmes, et ne signifient proprement que ce qu'il a plu aux peuples d'y attacher dans leur première institution », dit le P. Le Comte, de la Compagnie de Jésus.

Montaigne ne l'aurait pas démenti ! De là à adapter la religion catholique et romaine à la pensée confucéenne, il n'y a qu'un pas que les Jésuites franchissent, à la grande surprise de Rome. La bataille fait rage, et l'on commence à la porter sur la place publique, ce qui remue

considérablement les esprits ! La Sorbonne, évidemment, en profite pour condamner ces scélérats qui veulent abâtardir la pure religion au profit d'un syncrétisme aussi honteux qu'hérétique ! Et plus on entend parler de ce pays, plus sa diversité étonne, ou enchante. On y découvre maintenant le paganisme, l'athéisme, le respect des gens de lettres, la religion de l'étude, avec délectation pour certains, avec effroi pour d'autres. Décidément, la Chine est devenue bien proche...

Au contact d'autres réalités, le voyageur produit un bien curieux mélange, entre les idées qu'il avait déjà, le système de lecture qui est le sien, et ce qu'il voit à travers ses lunettes européennes. La relativité des choses pervertit les âmes les plus monolithiques. Les jésuites de Chine en viennent à dire que les Chinois jugent nos coutumes barbares de plein droit, et que la barbarie que nous prêtons aux étrangers pourrait bien être la nôtre propre.

Voyager dans l'utopie

Le voyage rêvé devient alors la réponse à cette nouvelle ouverture du monde. Avec l'Histoire des Sévarambes, de Denis

Veiras (1677), ou les Aventures de Jacques Sadeur dans la découverte et le voyage de la Terre australe, de Gabriel de Foigny (1676), le roman d'aventures et le récit de voyage rejoignent l'utopie.

Le rêve vient à la rescousse de la grande peur du moment : voir la société se mouvoir dans une durée incontrôlable, voir le pouvoir changer avec le temps alors qu'on le donnait auparavant comme un modèle imperméable à tout changement.

L'utopie qui s'installe au théâtre, dans les romans, dans les contes et les récits, pour s'étendre au XVIIIe siècle, permet d'arrêter l'histoire, de la bloquer dans un devenir idéal dans lequel le bonheur de tous soumettrait la somme des individus, au sein d'un État parfait. Avec toute la finesse et la rigueur de l'esprit géométrique, le récit reconstruit un monde régulier, tatillon, mais optimiste, croyant à l'harmonie de la raison et de la « nature des choses ». L'univers des utopistes, reste un reflet du monde idéal, sans temps, sans histoire.

Et dans cet ensemble, seules les Aventures de Télémaque (1669), de Fénelon, paraissent véritablement originales. L'air du temps s'y retrouve, imprégné des voyages imaginaires ou bien réels, des enchantements exotiques venus des Mille et Une Nuits, en référence au grand auteur que l'on consacre, ou que l'on critique, Homère. Enfin et surtout, on y voit une critique constructive de l'État fondée sur le fait que le devoir des rois, comme celui de tout homme, est d'assurer le bonheur de ses frères humains en adorant Dieu, et la vertu. Pédagogique (puisque adressé au petit-fils de Louis XIV) plus qu'utopique, ce « roman sensible » ou « poème moral et philosophique » est, pour les Modernes, l'ouvrage qui concurrence avec succès les textes antiques, il est la synthèse du temps et de ses tendances morales et politiques, tout en restant, essentiellement, voyage.

Le mouvement des idées

Au-delà de la conscience qu'on a, en France, d'atteindre un apogée, au-delà de l'idée confortable de posséder la seule langue capable de dire la vérité et la beauté des choses, au-delà enfin de tous les classements qu'en font les nouveaux dictionnaires de Richelieu, de Furetière ou de l'Académie, les notions scientifiques, politiques et religieuses vacillent à la fin de ce siècle, au point qu'on a pu parler d'une « crise de conscience » qui d'ailleurs ne se limite pas à l'étroite nation.

Newton, Dieu et la science

Le dieu de Newton n'est pas un lointain et abstrait Premier Moteur ; dans l'espace et le temps absolus qui sont ses attributs, il est omniscient et omniprésent, et tient l'univers sous sa constante et toute puissante domination [...]. Pour Newton, le monde est plein de Dieu.

Jean Ehrard,
l'Idée de nature en France dans la première moitié du XVIIIᵉ siècle, S.E.V.P.E.N.,
1963

Théologie naturelle et science expérimentale

Les cinq cents pages des Principes mathématiques de la philosophie naturelle, *publiées avec peine en trois cents exemplaires, font, depuis 1687, le tour de l'Europe cultivée.*

Et, outre-Manche, le newtonisme se répand dans un climat de piété fervente. Car Newton est avant tout un savant inspiré par sa pensée religieuse. En s'opposant au mécanisme cartésien, capable d'engendrer un certain athéisme, Newton recherche dans l'univers les signes de la présence divine. La méthode cartésienne est en effet susceptible d'assujettir Dieu à une sorte de nécessité naturelle. En limitant ainsi la toute-puissance divine, certains risquaient de s'en passer...

Contrant ce mouvement, le savant anglais veut prouver que le monde est un pur donné, rationnel, mathématiquement édifié, mais en même temps arbitraire et accessible à la seule expérience. La physique mathématique la plus savante impose ainsi l'idée de la toute-puissance divine : l'univers ne saurait se passer du concours de la Providence.

Le monde de Newton n'est pas régi par le principe de la conservation de l'énergie (principe qui dérive de Descartes et de sa théorie de conservation du mouvement), mais par l'idée que la quantité globale de mouvement (par la dureté des atomes qui se heurtent dans le vide) ne cesse de diminuer dans l'univers et qu'abandonnée à elle-même, la nature tendrait inévitablement au repos et à la mort. Seule l'intervention (directe ou indirecte) de Dieu empêche cet éternel repos. Dieu devient, dès lors, ordonnateur et conservateur de l'univers. La libre volonté du créateur a donné des règles arbitraires, parmi une foule d'autres règles possibles, pour que l'univers se meuve. Règles physiques, mathématiques, qui régissent l'ordre de la nature, loi de gravitation, déplacement elliptique des planètes, orbes concentriques, sens uniforme, tout est à la fois création de Dieu et tout ne peut se maintenir que grâce à sa libre volonté puisqu'il permet au mouvement de perdurer.

Versions françaises

Rapidement, les traducteurs et disciples du savant-théologien insistent sur l'aspect mécaniste de sa pensée. Pour lui, le phénomène de gravitation restait un simple fait expérimental dont la cause était inconnue. Il précisait en outre qu'il n'était pas question de l'expliquer par quelque pouvoir ou force interne des corps. Cependant, en France, on en vient rapidement à passer le pas et à présenter l'attraction comme un fait primitif, révélant la nature des choses. Dès lors, quelle absurdité y aurait-il à la considérer comme une propriété de la matière ? Et tout se passe comme si la nature se donnait à elle-même le mouvement. On frôlera alors l'athéisme... quel chemin parcouru !

Bien avant d'arriver à de telles implications, les cartésiens, toujours très puissants, particulièrement dans le domaine de la physique, et les théologiens, irrités par les disciples du savant, vont ainsi faire cause commune et rejeter la physique de Newton. Un demi-siècle après la première édition des Principia, l'adhésion de Voltaire au newtonisme fera encore scandale !

En France, on préférera encore longtemps s'en tenir à l'empirisme de Locke.

Le rôle de Fontenelle

Secrétaire perpétuel de l'Académie des sciences, Fontenelle en parfait homme du monde et collaborateur du Mercure Galant, met les nouvelles découvertes à la portée des académies, des salons et des cours. Un nouvel esprit se répand dans les Lettres : critique, terriblement destructeur, infiniment ironique, mais aussi constructif. A l'horizon des textes de Fontenelle, il y a l'espoir d'un progrès, malgré tout. Il y a en outre la légèreté du salon, le plaisir de la conversation joints au désir d'apprendre des choses nouvelles.

Dans les Entretiens sur la pluralité des mondes, Fontenelle veut présenter la science nouvelle sous un jour séduisant. Au cours de promenades vespérales, il entend donc expliquer à une marquise que le progrès des connaissances passionne, l'arrangement de l'univers...

Mon imagination [dit la marquise] est accablée de la multitude infinie des habitants de toutes ces planètes, et embarrassée de la diversité qu'il faut établir entre eux ; car je vois bien que la nature, selon qu'elle est ennemie des répétitions, les aura tous faits différents. Mais comment se représenter cela ? Ce n'est pas à l'imagination à prétendre se le représenter, répondis-je ; elle ne peut aller plus loin que les yeux. On peut seulement apercevoir d'une certaine vue universelle la diversité que la nature doit avoir mise entre tous ces mondes. Tous les visages sont en général sur un même modèle ; mais ceux de deux grandes nations, comme des Européens, si vous voulez, et des

Africains ou des Tartares, paraissent être faits sur deux modèles particuliers ; Il faudrait encore trouver le modèle des visages de chaque famille. Quel secret doit avoir eu la nature pour varier en tant de manières une chose aussi simple qu'un visage ? Nous ne sommes dans l'univers que comme une petite famille, dont tous les visages se ressemblent ; dans une autre planète, c'est une autre famille, dont les visages ont un autre air.

Apparemment les différences augmentent à mesure que l'on s'éloigne ; et qui verrait un habitant sur la Lune et un habitant de la terre, remarquerait bien qu'ils seraient de deux mondes plus voisins qu'un habitant de la terre et un habitant de Saturne. Ici, par exemple, on a l'usage de la voix ; ailleurs, on ne parle que par signes ; plus loin, on ne parle point du tout. Ici le raisonnement se forme entièrement par l'expérience ; ailleurs, l'expérience y ajoute fort peu de chose ; plus loin, les vieillards n'en savent pas plus que les enfants. Ici, on se tourmente de l'avenir plus que du passé ; ailleurs, on se tourmente ni de l'un de l'autre, et ceux-là, ne sont peut-être pas les plus malheureux. On dit qu'il pourrait bien nous manquer un sixième sens naturel, qui nous apprendrait beaucoup de choses que nous ignorons. Ce sixième sens est apparemment dans quelque autre monde, où il manque quelqu'un des cinq que nous possédons. Peut-être même y a-t-il effectivement un grand nombre de sens naturels ; mais dans le partage que nous avons fait avec les habitants des autres planètes il ne nous en est échu que cinq, dont nous nous contentons, faute d'en connaître d'autres. Nos sciences ont de certaines bornes que l'esprit humain n'a jamais pu passer. Il y a un point où elles nous manquent tout à coup ; le reste est pour d'autres mondes, ou quelque chose de ce que nous savons est inconnu. Cette planète-ci jouit des douceurs de l'amour ; mais elle est toujours désolée en plusieurs de ses parties par les fureurs de la guerre. Dans une autre planète on jouit d'une paix éternelle ; mais au milieu de cette paix on ne connaît point l'amour, et on s'ennuie. Enfin ce que la nature pratique en petit entre les hommes pour la distribution du bonheur ou des talents, elle l'aura sans doute pratiqué en grand entre les mondes, et elle se sera bien souvenue de mettre en usage ce secret merveilleux qu'elle a de diversifier toutes choses, et de les égaler en même temps par les compensations.

Êtes-vous contente, madame ? ajoutai-je. Vous ai-je ouvert un assez grand champ à exercer votre imagination ?

Fontenelle,
Entretiens sur la pluralité des mondes,
troisième soir ; 1686

Richard Simon et Pierre Bayle. De l'exégèse à la critique historique

A l'intérieur même de l'Église, l'exégèse progresse et se veut scientifique. Richard

Simon, oratorien sincère, entend combattre les protestants dans son Histoire critique du Vieux Testament (1678). Les huguenots ont tort de vouloir recourir à la seule écriture en faisant fi de la tradition. La Bible est en effet pleine d'obscurités et d'ambiguïtés qu'une étude philologique peut seule éclairer. Le Grand Texte devient alors le recueil de plusieurs textes constitués par des générations successives de scribes plus ou moins heureux. La foi passe par l'étude historique et critique, le Nouveau Testament est un livre antique qu'on doit débarrasser de ses gloses et de ses interprétations longuement accumulées au mépris de toute logique ou de toute vérité. Bossuet frémit.

Pierre Bayle, de l'incertitude comme attitude philosophique

L'incertitude de Bayle est « déjà une attitude philosophique ; ce qu'il reproche à tout dogmatisme, chrétien ou non, c'est de vouloir construire une doctrine rationnelle du monde et de se refuser aux faits, seule source et seul objet de la connaissance humaine. La vérité est donc pour Bayle d'ordre physique et historique ; on ne raisonne pas contre un fait ; tout dogme qui se heurte à une expérience physique ou morale est non seulement faux, mais nuisible. »

Paul Vernière,
*Spinoza et la pensée française
avant la Révolution*, P.U.F., 1954.

Les mérites du scepticisme

Après le succès puis l'interdiction, en France, des Nouvelles de la République des Lettres, de Hollande, Pierre Bayle rédige un dictionnaire dénoncé au moins autant par les autorités religieuses catholiques que par les rigoureux protestants du Refuge.

Le Dictionnaire historique et critique, pour lequel l'Europe s'enflamme dès sa parution (1695-1697), s'en remet aux principes généraux de la critique historique pour examiner les faits et les notions qui font, en général, autorité. Il s'agit de partir d'un nom historiquement célèbre, et de noter les nombreuses erreurs que des générations successives ont commises à son propos. Le ton irrespectueux scandalise, mais les analyses érudites choquent moins. On convient aisément qu'il faut se méfier d'un apriorisme systématique et qu'il est très raisonnable de s'appuyer sur des certitudes limitées, mais vérifiables, ou sur des faits scientifiquement prouvés, lorsqu'il s'agit de construire un raisonnement.

La foi et la philosophie

Critique par métier, sceptique par expérience, Bayle ne va pourtant pas jusqu'au doute radical. La philosophie et la théologie ont pour lui leur royaume propre, il n'est pas question de défendre rationnellement le christianisme, mais d'être, en ce domaine, tolérant, de condamner, au nom de ce principe, le dogmatisme théologique, la superstition. Le vrai n'est possible que dans l'exercice expérimental de la raison, alors que dans le domaine de la métaphysique, le raisonnement doit céder la place à la foi : « C'est pour trop raisonner qu'on voit l'athéisme et l'infidélité faire tous les jours des progrès... »
Bayle inquiétait lorsqu'il s'inspirait de Spinoza pour parler de la « vertu des athées » dans ses Pensées sur la comète, en 1682 ; il rassure maintenant, quand il reproche à Spinoza ce qu'il croit être son dogmatisme antichrétien auquel il oppose l'humilité de son intelligence en proie au doute. Revenant de sa bienveillance initiale, il se méfie maintenant d'un Spinoza dont il fait un athée, confortant en

cela l'idée générale qui faisait de l'auteur du Tractatus *(1670) et de l'*Éthique *(1661-1677) un philosophe « monstrueux » par son matérialisme.*

Le texte qui suit est une note du Dictionnaire historique et critique. *A partir de l'article « Thomas », comme il le fait d'ailleurs fort souvent, Bayle dévie vers une critique de la censure, bien plus générale et bien plus dangereuse. D'où l'intérêt de mettre ce texte en note, comme s'il n'était pas essentiel...*

Il est visible qu'un auteur qui emploie l'autorité des Magistrats, pour la suppression des livres que l'on écrit contre lui, témoigne manifestement sa défaite, et son incapacité de répondre, et augmente la curiosité du public. D'où vient donc que tant d'auteurs, lorsque leur crédit peut arriver jusque-là, recourent à cette voie ? Est-ce une chose bien agréable, que de déclarer à toute la terre qu'on n'a pas la force de résister à un autre auteur ? L'amour-propre trouve-t-il son compte à faire naître l'envie de lire des livres dont bien des gens ne se seraient pas informés, et qu'ils ne s'avisent d'acheter, que parce qu'ils entendent dire que les Magistrats les ont défendus ? L'amour propre, dis-je, si chagrin du contenu de ces livres, si avide d'en étouffer la mémoire, trouve-t-il son compte à faire que le public s'instruise plus curieusement de tous les détails de ces écrits ? Quel ragoût peut-on trouver à insérer quelquefois dans les gazettes la sentence de proscription contre quelques livres ? N'est-ce pas le moyen d'apprendre par toute l'Europe la honteuse nécessité où l'on se trouve réduit, de demander aux magistrats le secours que l'on ne devrait emprunter que de sa plume ? D'auteur à auteur les armes doivent être égales : chacun doit avoir recours à la seule plume. S'il dit j'aurai mon recours aux puissances, et à mon crédit auprès des Dieux de la terre, il ressemble à un champion qui s'armerait de toutes pièces contre un homme désarmé. Je crois pouvoir dire sur ces demandes, que les auteurs qui en usent de la sorte n'y trouvent pas dans le fond un grand ragoût : ce n'est qu'un pis-aller à quoi ils donnent le tour le plus consolant qu'il leur est possible. Ils veulent regagner, par l'idée de leur crédit, ce qu'ils perdent par la plume de leur adversaire : ils veulent retenir le peuple dans leurs intérêts ; le peuple, dis-je, toujours porté à juger que le parti le plus fort est le meilleur : ils veulent prévenir les attaques de quelques autres adversaires ; car combien y a-t-il de gens qui ne gardent le silence sur les injustices d'un homme, qu'à proportion qu'ils le voient en état de faire du bien et du mal par son crédit ?

Pour ne pas dire que l'on espère qu'un grand nombre de lecteurs simples concluront qu'un livre contenait des faussetés, puisque la vente en a été défendue. Il est vrai que bien des gens sont capables de ce pitoyable raisonnement : c'est qu'ils ne considèrent pas que les magistrats, lors même qu'ils font supprimer un livre par des raisons de prudence, et selon leurs règlements, ne prétendent pas faire un préjugé contre les faits qui sont contenus dans ce livre ; car ils n'en prennent point connaissance, et ne s'en portent pas pour juges.

Pierre Bayle,
article « Thomas »,
Dictionnaire historique et critique, 1697

Au moment où les critiques philosophiques s'affrontent aux valeurs les plus établies, les grandes doctrines politiques, elles aussi, sont mises en question.

Bossuet : L'essentiel, c'est l'absolutisme

Tout commence avec Dieu, seul vrai roi du monde, dont l'empire se transcrit ensuite en pouvoir paternel. Et comme il faut bien trouver un substitut au pouvoir des pères dans une société, le règne du Roi a remplacé celui du Père, conformément aux volontés des peuples, mais il pourrait revêtir une autre forme. L'important finalement n'est pas qu'il y ait un roi, mais une autorité absolue.

C'est dans cette optique, qu'il faut considérer le « droit divin ». Non pas comme un privilège que posséderaient les rois (la monarchie n'est qu'une des possibilités du droit divin), mais comme le principe que « toute puissance vient de Dieu », et que la Providence permet l'institution de toute autorité.

Cette autorité, à laquelle sont soumis les hommes, est sacrée, remise par Dieu lui-même aux princes qui sont ses ministres, et les hommes doivent une obéissance totale. Le principe de l'autorité est immortel, et toute révolte est donc une rébellion contre Dieu même.

Le pouvoir des rois, leurs devoirs, sont bien fondés sur les propres paroles de l'Écriture sainte, sans qu'il soit possible aux hommes de juger de leur légitimité. Bossuet sait bien que les mauvais gouvernants risquent l'immunité et les pays la tyrannie, mais il est sûr que Dieu les punira de leurs écarts.

Dans la pratique, la monarchie semble plus apte que n'importe quel gouvernement à maintenir le pouvoir absolu, et la meilleure monarchie est « successive », puisqu'elle permet que le pouvoir ne soit jamais interrompu.

Seuls « le respect, la fidélité et l'obéissance » au roi peuvent endiguer l'éclatement du corps social, parce que la monarchie est le gouvernement le plus naturel, le plus ancien, le plus proche du gouvernement paternel.

Monarchie et tyrannie

Avec Hobbes, que l'on connaît très tôt sur le continent (dès 1640), le pouvoir trouve sa légitimité dans la violence étatique. Si les hommes sont assez fous pour céder à leurs instincts, le souverain saura les ramener à de plus justes mesures en leur imposant la sagesse et l'obéissance, quitte à devenir un monstre. Pour échapper à l'état de guerre de tous contre tous, les hommes doivent s'associer, constituer un État, et dans le même temps abdiquer leur volonté propre, leurs droits en faveur d'une autorité inflexible, absolue, le Léviathan. C'est au prix de la liberté des individus que la société civile peut vivre dans le calme.

Cependant, il y a une grande différence entre l'État de Hobbes, pouvoir sans bornes, gouvernement arbitraire, et la monarchie absolue. Le pouvoir absolu n'est pas donné comme « totalitaire », les sujets ne sont en aucun cas donnés comme les esclaves d'un maître qui exclut la morale. Le souverain absolu est soumis à la nature, il doit rendre des comptes à Dieu lui-même, respecter les biens et la liberté de ses sujets : il est soumis aux lois fondamentales du royaume que son rapport à Dieu le tient de respecter. On a vu combien Bossuet avait su promouvoir cette théorie.

Absolutisme et parlementarisme

Face à cet État fort, l'exemple anglais institue un autre type de gouvernement. L'Angleterre sort en effet d'une révolution qui l'a occupée plus d'un demi-siècle. Tour à tour « diabolique exemple » pendant la Fronde, référence obligée pour les tenants d'un apaisement des luttes, merveilleux projet pour les futurs philosophes, elle influence considérablement les idées comme les conduites politiques françaises. L'« île inquiète » reprend bien des questions que la Fronde laisse en suspens.

Certains libertins, fascinés par Hobbes et scandalisés par la faiblesse de l'État, en France pendant la Fronde ou en Angleterre pendant la révolution, en viennent à penser qu'un Léviathan doit naître et que Louis XIV doit gouverner à son image. Le peuple, avant tout méprisable et crédule se pliera aux décrets d'un vrai roi !

Mais plus généralement, l'opposition à cet État moderne, à l'époque, est d'un autre type, tout en restant le plus souvent nobiliaire. Les aristocrates considèrent en effet que la monarchie absolue est une perversion de la monarchie elle-même, d'où leur application à soutenir les contre-pouvoirs.

Le rêve de l'équilibre des pouvoirs

Jusqu'à la Fronde, ils avaient rêvé de reconstituer un mythe politique : celui d'un État équilibré dans lequel les forces féodales et royales seraient de même ampleur, avec les parlements comme balancier, modérant les pouvoirs des unes et des autres. Saint Louis, Louis XII, et, dans une certaine mesure, Henri IV, étaient les représentants de cet âge d'or de la monarchie.

Mais depuis quelques années, en même temps qu'en France, la monarchie absolue se stabilise et s'institue, les théories du droit naturel de l'individu se mettent doucement en place, et c'est maintenant en leur nom que la lutte s'effectue. Favorables à une monarchie tempérée, une frange restreinte de l'aristocratie s'appuie sur Hobbes pour démontrer les errements du politique quand il prend le pas sur les droits de l'individu, et citent Locke lorsqu'ils assurent qu'il faut qu'un pacte, un contrat lie le roi à ses sujets préservant la liberté des uns et notant les limites du pouvoir du monarque.

Enfin, la lutte dans le domaine des idées se veut aussi religieuse. Le quiétisme et le jansénisme en témoignent.

Le quiétisme, dissidence muselée

Il y a d'abord cette Mme Guyon dont on fait grand cas, à la Cour. Fénelon, le précepteur du duc de Bourgogne, les duchesses de Chevreuse et de Beauvilliers, Mme de Maintenon elle-même trouvent dans ses idées des vérités admirables. Accorder moins d'importance aux pratiques de la religion qu'à la contemplation du « pur amour » de Dieu, voilà qui paraît bien mystique (d'ailleurs ces idées ne viennent-elles pas d'un Espagnol, Molinos (1628-1696), auteur du Guide spirituel, publié en 1675 ?)... S'abandonner à Dieu, sans souci de son propre salut, dans une attitude absolue, séduit les aristocrates et menace l'autorité de quiétude de l'Église. Les poésies de Mme Guyon et surtout de François Malaval, poète aveugle (Poésies spirituelles de 1671), commencent à être connues, et leur mysticisme plaît autant qu'il convainc.

Bossuet s'alarme, les Jésuites se méfient, Fénelon convoque une commission de censure présidée par le même Bossuet, qui condamne le « quiétisme » de Mme Guyon (1695). Les deux prélats vont alors s'opposer violemment. Nouvellement nommé archevêque de Cambrai, Fénelon profite de sa position pour publier, en 1697, une Explication des maximes des saints, véritable plaidoyer en faveur du quiétisme et de l'« immobilité de l'âme » que Bossuet contre bien vite par la Relation sur le quiétisme. Entre le Cygne de Cambrai et l'Aigle de Meaux, la bataille fait rage et les plumes volent. Le roi en appelle au pape, Innocent XII, qui censure vingt-trois propositions des Maximes, sans pour autant les qualifier d'hérétiques. Sa Majesté n'est pas mécontente de pouvoir disgracier et exiler un pédagogue donneur de leçons qui a l'oreille du dauphin, d'autant que les Aventures de Télémaque, qui paraissent la même année (1699) se mêlent un peu trop de morale *politique... En quelques chapitres, Fénelon vient en effet de tuer deux tyrans et d'en chasser un autre, au nom du retour à la perfection de l'ordre ancien que la tyrannie avait perverti ! Soumis, docile et digne, Fénelon se retire en son archevêché, attendant patiemment que le duc de Bourgogne intercède un jour en sa faveur, et le rappelle à la Cour. La variole des héritiers du trône aura raison de ses espoirs.*

Souvenez-vous, ô Télémaque, qu'il y a deux choses pernicieuses, dans le gouvernement des peuples, auxquelles on n'apporte jamais aucun remède : la première est une autorité injuste et trop violente dans les rois ; la seconde est le luxe, qui corrompt les mœurs.

Quand les rois s'accoutument à ne connaître plus d'autres lois que leurs volontés absolues, et qu'ils ne mettent plus de freins à leurs passions, ils peuvent tout : mais, à force de tout pouvoir, ils sapent les fondements de leur puissance ; ils n'ont plus de règle certaine, ni de maximes de gouvernement ; chacun à l'envi les flatte ; ils n'ont plus de peuple ; il ne leur reste que des esclaves, dont le nombre diminue chaque jour. Qui leur dira la vérité ? Qui donnera des bornes à ce torrent ? Tout cède ; les sages s'enfuient, se cachent, et gémissent. Il n'y a qu'une révolution soudaine et violente qui puisse ramener dans son cours naturel cette puissance débordée : souvent même le coup qui pourrait la modérer l'abat sans ressource. Rien ne menace tant d'une chute funeste, qu'une autorité qu'on pousse trop loin : elle est semblable à un art trop tendu, qui se rompt enfin tout à coup si on ne le relâche : mais qui est-ce qui osera le relâcher ? Idoménée était gâté jusqu'au fond du cœur par cette autorité si flatteuse : il avait été renversé

de son trône ; mais il n'avait pas été détrompé. Il a fallu que les dieux nous aient envoyés ici, pour le désabuser de cette puissance aveugle et outrée qui ne convient point à des hommes ; encore a-t-il fallu des espèces de miracles pour lui ouvrir les yeux.

L'autre mal, presque incurable, est le luxe. Comme la trop grande autorité empoisonne les rois, le luxe empoisonne toute une nation. On dit que ce luxe sert à nourrir les pauvres aux dépens des riches ; comme si les pauvres ne pouvaient pas gagner leur vie plus utilement, en multipliant les fruits de la terre, sans amollir les riches par des raffinements de volupté. Toute une nation s'accoutume à regarder comme les nécessités qu'on invente, et on ne peut plus se passer des choses qu'on ne connaissait point trente ans auparavant. Ce luxe s'appelle bon goût, perfection des arts, et politesse de la nation. Ce vice, qui en attire tant d'autres, est loué comme une vertu ; il répand sa contagion depuis le Roi jusqu'aux derniers de la lie du peuple. Les proches parents du Roi veulent imiter sa magnificence ; les grands, celle des parents du Roi ; les gens médiocres veulent égaler les grands, car qui est-ce qui se fait justice ? Les petits veulent passer pour médiocres : tout le monde fait plus qu'il ne peut ; les uns par faste, et pour se prévaloir de leurs richesses ; les autres par mauvaise honte, et pour cacher leur pauvreté. Ceux mêmes qui sont assez sages pour condamner un si grand désordre, ne le sont pas assez pour oser lever la tête les premiers, et pour donner des exemples contraires. Toute une nation se ruine, toutes les conditions se confondent. La passion d'acquérir du bien pour soutenir une vaine dépense corrompt les âmes les plus pures : il n'est plus question que d'être riche ; la pauvreté est une infâmie. Soyez savant, habile, vertueux ; instruisez les hommes ; gagnez des batailles ; sauvez la patrie ; sacrifiez tous vos intérêts ; vous êtes méprisé si vos talents ne sont relevés par le faste. Ceux mêmes qui n'ont pas de bien veulent paraître en avoir ; ils en dépensent comme s'ils en avaient : on emprunte, on trompe, on use de mille artifices indignes pour parvenir. Mais qui remédiera à ces maux ? Il faut changer le goût et les habitudes de toute une nation ; il faut lui donner de nouvelles lois. Qui le pourra entreprendre, si ce n'est un roi philosophe, qui sache, par l'exemple de sa propre modération, faire honte à tous ceux qui aiment une dépense fastueuse, et encourager les sages, qui seront bien aises d'être autorisés dans une honnête frugalité !

Fénelon,
les *Aventures de Télémaque*,
livre XVII, 1699

Le jansénisme, dissidence permanente

Le second jansénisme, ou quesnellisme, est une tout autre affaire. Après la mort d'Arnauld (1694) et de Nicole (1695), l'oratorien Quesnel prend la tête du « parti » janséniste, et devient vite dangereux. Dans son Nouveau Testament en français avec des réflexions morales sur chaque verset (édition de 1693), il combine les anciennes idées sur la grâce et les thèses gallicanes et démocratiques selon lesquelles les curés ont un grand rôle à jouer auprès de leurs

évêques. Si le pape et la hiérarchie cléricale s'offusquent de ces principes, les parlementaires et le bas clergé applaudissent, quitte à passer pour des « républicains ». En 1701, la guerre se rallume à propos d'un cas de conscience.

Faut-il ou non absoudre sur son lit de mort un ecclésiastique qui accepte la condamnation des cinq propositions, tout en gardant un silence respectueux sur leur attribution précise à Jansénius ? Le roi, Bossuet, Fénelon et les Jésuites répondent par la négative alors que quarante théologiens de la Sorbonne prônent l'absolution. On en appelle au pape qui condamne le silence respectueux par une bulle, en 1705.

Louis XIV en profite pour sommer les dix-sept dernières religieuses de Port-Royal des Champs de signer la bulle. Devant leur refus, il les disperse en 1709, et quelques mois plus tard fait détruire le monastère, l'église et le cimetière. A Paris, l'émotion est grande, l'archevêque de Paris, le cardinal de Noailles se lève contre l'autoritarisme du roi et convainc d'autres évêques. Devant une nouvelle bulle papale (Unigenitus 1713, qui condamne les Réflexions morales du père Quesnel), c'est la rébellion ouverte, le roi doit imposer son enregistrement au Parlement (1714) et reléguer les évêques opposants dans leurs diocèses par lettres de cachet. Quinze évêques demeurent réfractaires, tandis que les fidèles grondent. Le vieux problème du libre arbitre divise encore plus que jamais la pensée chrétienne. Les partisans de la toute puissance divine renforcent leurs attaques contre la doctrine des Jésuites. Selon eux, la revendication de la liberté humaine pose l'homme en associé voire en égal de Dieu et sont prêts à toujours lutter contre ces principes quitte à menacer l'intégrité de la foi.

Devant ces querelles et ces guerres internes au catholicisme et face à la politique d'intolérance vis-à-vis de protestants, le redressement religieux n'est plus si bien perçu. Les jeunes gens de la Cour et de la ville s'éloignent de l'enthousiasme de leurs aînés à mesure que les idées du Refuge pénètrent les esprits.

La marche inexorable du progrès

Ainsi, la société évolue, et ceux qui font partie d'une aristocratie attachée aux vieilles structures féodales ou d'une bourgeoisie de privilèges, s'en trouvent séparés. Le mouvement des affaires introduit de nouveaux pouvoirs, qui ne partagent pas nécessairement les mêmes références, ni les mêmes goûts. Une nouvelle sensibilité, que le succès de l'opéra illustre bien, touche la Cour et la ville ; l'art se sent soudain capable de progresser lui aussi, en inventant de nouvelles formes.

Le progrès devient le nouveau credo, et la science la nouvelle religion. La monarchie est la conséquence et la source de ce progrès, c'est le rêve d'un État moderne que les nouveaux milieux dirigeants appellent de tous leurs vœux.

Le mouvement de la pensée moderne se dessinerait à peu près comme il suit. A partir de la Renaissance, un besoin d'invention, une passion de découverte, une exigence critique si manifestes, qu'on peut y voir les traits dominants de la conscience de l'Europe. A partir du milieu du XVIIe siècle, environ, un arrêt provisoire ; un paradoxal équilibre qui se réalise entre des éléments opposés ; une conciliation qui s'opère entre des forces ennemies ; et cette réussite, littéralement prodigieuse : le classicisme. Vertu d'apaisement ; force calme ; exemple d'une sérénité consciemment atteinte par des hommes qui connaissent les passions et les

doutes, comme tous les hommes, mais qui, après les troubles de l'âge précédent, aspirent à un ordre sauveur. Ce n'est pas que l'esprit d'examen soit annihilé : il persiste chez les classiques eux-mêmes, discipliné, endigué, s'appliquant à porter jusqu'à leur dernier point de perfection les chefs-d'œuvre qui exigent une longue patience pour devenir éternels. Il persiste chez les rebelles qui attendent leur tour, dans l'ombre. Il persiste chez ceux qui pactisent, en les minant, avec les institutions politiques et sociales dont ils profitent et qui font l'agrément de leur vie, comme Saint-Évremond et comme Fontenelle, aristocrates des révolutions.

Aussi, dès que le classicisme cesse d'être un effort, une volonté, une adhésion réfléchie, pour se transformer en habitude et en contrainte, les tendance novatrices, toutes prêtes, reprennent-elles leur force et leur élan ; et la conscience européenne se remet à sa recherche éternelle. Commence une crise si rapide et si brusque, qu'elle surprend : alors même, longuement préparée par une tradition séculaire, elle n'est en réalité qu'une reprise, une continuation.

Totale, impérieuse et profonde, elle prépare à son tour, dès avant que le XVIIe siècle soit achevé, à peu près tout le XVIIIe siècle.

Paul Hazard,
la Crise de la conscience européenne, 1680-1715, Fayard, 1961

Les cérémonies sur lesquelles s'ouvre cet ouvrage ne peuvent cacher la mort partout présente dans les tableaux, les sermons et les propos échangés. Mort ou maladie des uns, indifférence des autres, leçons morales ou conduites pratiques, ce sont les mœurs du temps...

Bossuet : « Vanité des vanités, et tout est vanité [1]. C'est la seule parole qui me reste. »

Madame, Henriette d'Angleterre, fille de Charles Iᵉʳ, épouse de Philippe d'Orléans, frère de Louis XIV, meurt brutalement à vingt-six ans, un an après sa mère. C'est l'occasion pour Bossuet d'intervenir avec brio sur les décrets de la providence, combinant les périodes oratoires et les phrases courtes, jouant sur la rapidité avec laquelle cette mort frappa les imaginations.

Considérez, messieurs, ces grandes puissances que nous regardons de si bas ; pendant que nous tremblons sous leur main, Dieu les frappe pour nous avertir. Leur élévation en [2] est la cause ; et il les épargne si peu qu'il ne craint pas de les sacrifier à l'instruction du reste des hommes. Chrétiens, ne murmurez pas si MADAME a été choisie pour nous donner une telle instruction, il n'y a rien ici de rude pour elle, puisque, comme vous le verrez dans la suite, Dieu la sauve par le même coup qui nous instruit. Nous devrions être assez convaincus de notre néant : mais s'il faut des coups de surprise à nos cœurs enchantés de l'amour du monde, celui-ci est assez grand et assez terrible. Ô nuit désastreuse ! ô nuit effroyable, où retentit tout à coup comme un éclat de tonnerre cette étonnante nouvelle : MADAME se meurt ! MADAME est morte ! Qui de nous ne se sentit frappé à ce coup, comme si quelque tragique accident avait désolé sa famille ? Au premier bruit d'un mal si étrange, on accourut à Saint-Cloud de toutes parts ; on trouve tout consterné, excepté le cœur de cette princesse ; partout on entend des cris ; partout on voit la douleur et le désespoir, et l'image de la mort. Le roi, la reine, .

Monsieur, toute la cour, tout le peuple, tout est abattu, tout est désespéré ; et il me semble que je vois l'accomplissement de cette parole du prophète *Le roi pleurera, le prince sera désolé, et les mains tomberont au peuple de douleur et d'étonnement* [3].

Mais et les princes et les peuples gémissaient en vain : en vain Monsieur, en vain le roi même tenait MADAME serrée par de si étroits embrassements. Alors ils pouvaient dire l'un et l'autre avec saint Ambroise : *Stringebam bracchia, sed jam amiseram quam tenebam* [4] : « Je serrais les bras, mais j'avais déjà perdu ce que je tenais. » La princesse leur échappait parmi des embrassements si tendres, et la mort plus puissante nous l'enlevait entre ces royales mains. Quoi donc ! elle devait périr sitôt ! Dans la plupart des hommes les changements se font peu à peu et la mort les prépare ordinairement à son dernier coup. MADAME cependant a passé du matin au soir, ainsi que l'herbe des champs [5], le matin elle fleurissait, avec quelles grâces, vous le savez ; le soir nous la vîmes séchée, et ces fortes expressions par lesquelles l'Écriture Sainte exagère l'inconstance des choses humaines devaient être pour cette princesse si précises et si littérales [6] !

Bossuet, *Oraison funèbre d'Henriette d'Angleterre*, 1670

(1) Maxime tirée de l'*Ecclésiaste* (I, 2), l'un des livres de la Bible.
(2) en : de ce fait que Dieu les frappe de préférence.
(3) *Ezéchiel*, VII, 27.
(4) Saint Ambroise, *Oratio de obitu Satyri fratris*, I, 19.
(5) D'après les *Psaumes*, CII, 15. « Les jours de l'homme passent comme l'herbe ; il fleurira comme la fleur des champs. »
(6) La mort de Madame fut en effet fort rapide : prise d'un malaise vers cinq heures de l'après-midi, elle mourut vers trois heures du matin.

E loquence entre ciel et terre ou « la grande vanité des choses humaines ».

Chaires de Predicateurs nouvellement inventées et gravées par L le Pautre. Se vendent a Paris

Saint-Simon et la langueur de Marly

Devant le bassin des Carpes de Marly, le roi apprend que la duchesse de Bourgogne est une fois de plus « blessée », c'est-à-dire victime d'une fausse couche. Les courtisans s'exclament, affichant à grands cris que c'est le plus grand malheur du monde.

« Eh ! quand cela serait », interrompit le roi tout d'un coup avec colère, qui jusque là n'avait dit mot, « qu'est-ce que cela me ferait ? Est-ce qu'elle n'a pas déjà un fils ? et, quand il mourrait, est-ce que le duc de Berry n'est pas en âge de se marier et d'en avoir ? et que m'importe qui me succède des uns ou des autres ! Ne sont-ce pas également mes petits-fils ? » Et tout de suite, avec impétuosité : « Dieu merci ! elle est blessée, puisqu'elle avait à l'être, et je ne serai plus contrarié dans mes voyages et dans tout ce que j'ai envie

de faire par les représentations des médecins et les représentations des matrones. J'irai et je viendrai à ma fantaisie et on me laissera en repos ».

Un silence à entendre une fourmi marcher succéda à cette espèce de sortie : on baissait les yeux, à peine osait-on respirer. Chacun demeura stupéfait ; jusqu'aux gens des bâtiments et aux jardiniers demeurèrent immobiles. Ce silence dura plus d'un quart d'heure.

Le roi le rompit, appuyé sur la balustrade, pour parler d'une carpe. Personne ne répondit. Il adressa après la parole sur ces carpes, à des gens des bâtiments, qui ne soutinrent pas la conversation à l'ordinaire ; il ne fut question que des carpes avec eux. Tout fut languissant, et le roi s'en alla quelque temps après. Dès que nous osâmes nous regarder hors de sa vue, nos yeux, se rencontrant, se dirent tout : ce qui se trouva là de gens furent, pour ce moment, les confidents les uns des autres. On admira, on s'étonna, on s'affligea, on haussa les épaules. Quelque éloignée que soit maintenant cette scène, elle m'est toujours également présente. M. de La Rochefoucauld était en furie, et, pour cette fois, n'avait pas tort ; le premier écuyer en pâmait d'effroi. J'examinais, moi, tous les personnages des yeux et des oreilles, et je me sus gré d'avoir jugé depuis longtemps que le roi n'aimait et ne comptait que lui, et était à soi-même sa fin dernière.

Cette anecdote, que rapporte le duc de Saint-Simon dans des Mémoires *(publiés en 1829-1830) qu'il écrit bien après que cette scène a eu lieu, affirme avec précision cet étouffement, cette tristesse, cette langueur qui saisit la Cour vers la fin du règne.*

BIBLIOGRAPHIE

Sur l'âge classique

A. Adam, *Histoire de la littérature française au XVIIe siècle*, Domat Monchrestien 1956.

F. Chandernagor, *L'Allée du Roi-Soleil*, Presses-Pocket 1984.

H. Coulet, *Le Roman jusqu'à la Révolution*, Colin 1967.

R. Demoris, *Le Roman à la première personne*, Colin 1975.

Dessert, *Fouquet*, Fayard 1987.

B.P. Goubert, D. Roche, *Les Français et l'Ancien Régime*, Colin 1984.

P. Hazard, *La Crise de la conscience européenne*, Fayard 1961.

P. Morand, *Fouquet*, Gallimard 1985.

J. Morel, *La Tragédie*, Colin 1966.

J. Scherer, *La Dramaturgie classique en France*, Nizet 1964.

R. Tavenaux, *Le Catholicisme dans la France classique*, Sedes 1980.

J. Truchet, *La Tragédie classique en France*, PUF 1975.

A. Viala, *La Naissance de l'écrivain*, Minuit 1985.

P. Voltz, *La Comédie*, Colin 1964.

Sur les auteurs et les œuvres

J.-L. Barrault, *Mises en scène de Phèdre*, Points-Seuil 1986.

R. Barthes, *Sur Racine*, Seuil 1963.

R. Bray, *Molière, homme de théâtre*, Mercure de France 1963.

S. Doubrowsky, *Corneille et la dialectique du héros*, Gallimard 1982.

R. Duchesne, *Mme de La Fayette : la romancière aux cent bras*, Fayard 1988.

L. Goldmann, *Le Dieu caché*, Gallimard 1976.

J. Guicharnaud, *Molière, une aventure théâtrale*, Gallimard 1963.

E. Labrousse, *P. Bayle, hétérodoxie et rigorisme*, La Haye, Martinus Nijhoff 1964.

M. Laugaa, *Lectures de Mme de La Fayette*, Colin 1971.

M. et M.-R. Le Guern, *Les Pensées de Pascal*, Larousse 1972.

A. Niderst, *Fontenelle à la recherche de lui-même*, Nizet 1972.

R. Picard, *La Carrière de J. Racine*, Gallimard 1961.

M. Prigent, *Le Héros et l'Etat dans la tragédie de Corneille*, PUF 1986.

A. Stegmann, *L'Héroïsme cornélien*, Colin 1968.

J. Truchet, *La Prédication de Bossuet, étude des thèmes*, ed. du Cerf 1960.

FILMOGRAPHIE

H. Decoin, *L'Affaire des poisons*, 1985.

S. Guitry, *Si Versailles m'était conté*, 1953.

A. Mnouchkine, *Molière*, 1977.

R. Rossellini, *La Prise du pouvoir par Louis XIV*, 1966.

TABLE DES ILLUSTRATIONS

CRÉDITS PHOTOGRAPHIQUES

I.B Corneille inv.

I Mariette Sculp.

AU ROY.

COLLABORATEURS EXTÉRIEURS

Corinne Leveuf a réalisé la maquette de cet ouvrage ; Pierre Pitrou en a réuni l'iconographie ; Odile Zimmermann a assuré la plus grande partie du suivi rédactionnel.

REMERCIEMENTS

Christian Biet remercie pour leur aide et les renseignements précieux qu'ils lui ont apportés : Jean Goldzink, Gérard Gengembre, Patrick Dandrey, Georges Forestier, Dominique Maucond'hui, Jean-Luc Rispail, Jean-Paul Brighelli.
Les éditions Gallimard adressent leurs remerciements à Isabelle Wolf du service photographique de la Réunion des Musées nationaux ainsi qu'aux nombreux auteurs et critiques contemporains cités dans Témoignages et Documents.